Rabat

HABBEKRATS

Rabat

Lebowski Achievers, Amsterdam 2011

© Habbekrats, 2011

© Lebowski Achievers, Amsterdam 2011

Omslagontwerp: Dog and Pony, Amsterdam

Typografie: Michiel Niesen, ZetProducties, Haarlem

ISBN 978 90 488 1067 3

NUR 301

www.habbekrats.nl

www.rabatdefilm.nl

www.achievers.nl

www.lebowskipublishers.nl

Lebowski Achievers is een imprint van Dutch Media Uitgevers bv

MIX
Papier van
verantwoorde herkomst
FSC® C023842

lebowski
Dit boek is ook leverbaar als e-book:
ISBN 978 90 488 1107 6

DEEL 1: NEDERLAND

1.

In het kleine badkamertje naast het met kerstverlichting versierde podium waste Nadir zijn gezicht. Hij was moe en had de afgelopen dagen weinig geslapen. Dagen als deze waren eerder een feest omdat de maandenlange voorbereidingen nu echt achter de rug waren dan dat ze om de heuglijke feiten zelf gingen. Toen hij zijn gezicht had afgedroogd met een handdoek die er waarschijnlijk al veel te lang hing, keek hij in de spiegel.

Hij zag er goed uit.

Pakken hadden hem altijd goed gestaan. Dit was zijn derde al en het was het eerste dat hij zelf had betaald. Tweehonderdvijftig euro had die grap hem gekost. Het had meer kunnen zijn als hij niet zo slim was geweest om het witte hemd en de zwarte das van zijn vorige pak te gebruiken. Met de tram was hij van Oost naar Zuid gegaan. Oud-Zuid om precies te zijn. Daar was namelijk de Suit Supply. Dat was een chique tent met weliswaar merkloze pakken, maar ze zagen er een stuk stijlvoller uit dan de *wannabe* Tony Montana-achtige H&M-en WE-outfits die hij vandaag voorbij had zien komen. Zijn derde pak al. De eerste twee waren trouwens ook gewoon van de WE en de H&M geweest en hadden gediend voor de bruiloften van zijn twee oudere broers. Bij de eerste was hij veertien, bij de tweede achttien. Vandaag was het de beurt aan zijn zus, die hem hierna als enige kind achterliet in hun ouderlijk huis. Om eerlijk te zijn had hij het pak ook wel een beetje gekocht voor zijn diploma-uitreiking vorige week. Je kan een hbo-diploma Economie toch niet ophalen in een pak van de H&M?

Precies.

Het gedempte geluid van de feestband deed hem beseffen dat hij weer maar weer eens de zaal in moest. Daar was de rust ver te zoeken. Overal in het tot Arabisch paleis omgetoverde buurthuis krioelden mensen. Het was verbazingwekkend hoe effectief de dikke laag kitsch was die over de ellende van dit vervallen gebouw was gesmeerd. Gooi daar nog eens de felgekleurde kermis- en jarenzeventigdiscoverlichting van het vooruitstrevende bedrijf Sultan Decorations overheen, en klaar was je. Nederlanders dachten weleens dat er iets mis was met de ontvangst van hun televisie wanneer ze per ongeluk Arabische zenders ontvingen en alle kleuren oogverblindend fel waren, maar ze beseften niet dat alles er in die landen zo uitzag. Als het chic of feestelijk moest lijken, tenminste. Terwijl hij een plek bij de bar zocht, keek hij eens goed rond in de zaal.

Hij kende echt iedereen hier.

Van Brahim, de slager uit de Ambonstraat, die met zijn twee zoons was gekomen, tot en met Hisham, de tramconducteur en zijn vrouw. Hishams zoon was niet meegekomen, want die zat vast. De politie had hem in de krant ook 'de slager' genoemd, maar iedereen in de buurt wist dat hij nooit bij Brahim achter de toonbank zou staan.

Nadir's buurt was een dorp waar iedereen elkaar kende en als je vandaag in deze zaal je ogen toekneep, zou je kunnen geloven dat dat dorp ergens in het Rifgebergte lag.

Abdel en Zakaria waren natuurlijk nergens te bekennen. Toch wist Nadir dat ze met iets onzinnigs bezig waren. In de zeventien jaar dat hij nu bevriend met ze was, waren ze geen steek veranderd en was hij eigenlijk voortdurend naar ze op zoek geweest met het gevoel dat ze weer iets nutteloos aan het doen waren. Als hij blind zou moeten gokken, zou hij zeggen dat Abdel nu ergens buiten zou staan, druk in gesprek met een stel buurtkinderen dat op het lawaai was afgelopen. Ze kenden Abdel wel en zagen hem voornamelijk als die jongen die altijd op nieuwe en mooie schoenen liep. Van die zwartgelakte Pradagympen, die wilden alle kinderen uit de buurt wel, maar niemand kon zijn ouders overtuigen van het nut van gymschoenen van driehonderd euro. Een van de buurtkinderen zou een voetbal bij zich hebben en Abdel zou vragen hoe vaak het joch kon hooghouden. Als hij 'vijftig keer' zou zeggen, zou Abdel hem uitdagen voor honderd te gaan. Als hij dat zou redden, zou hij veertig euro krijgen. Abdel zou in zijn zak grijpen en er vier tientjes uit halen. Hij zou ze laten zien, eraan ruiken, tegen de jongens zeggen dat ze lekker roken en ze weer in zijn zak stoppen. De kids zouden door het dolle heen zijn, de tegenprestatie zou echter zijn dat het jochie met de bal en een vriendje beiden vijf euro zouden inleggen. Opgejut door de jongens om hem heen en de gedachte dat hij zijn vijf euro in veertig zou kunnen veranderen, zou het joch onmiddellijk op de uitdaging ingaan. De weddenschap zou rond zijn en het jongetje zou beginnen hoog te houden. Tot groot ongenoegen van Abdel zou hij zonder veel inspanning tot de 25 komen. En nadat hij al even makkelijk tot de vijftig zou komen, zou Abdel bij de zeventig beginnen met wat hij noemde 'de psychologische oorlog AKA makavelishit'. Hij zou over de zus van het jochie praten en een paar dingen zeggen die ze zelfs op de Wallen als vies zouden beschouwen. Natuurlijk zou het jongetje de controle over de bal verliezen en natuurlijk zou hij worden uitgelachen door zijn leeftijdsgenoten. Abdel zou hem nog de rust gunnen om de vernedering goed te proeven, alvorens over te gaan op de zakelijke kant van deze sportieve uitdaging. Uiteraard met tegenzin zouden de jochies beiden vijf euro ophoesten, waarna de Bill Gates van de Celebesstraat de jongens vriendelijk doch dwingend zou verzoeken om op te hoepelen. *Zied kowed!*

Ongetwijfeld stond Zakaria ergens in een donkere hoek van de entreehal of onder een afdakje van het fietsenhok oneervolle voorstellen te doen aan meisjes die al even oneervol waren – als de familie niet keek. Hij zou zijn gebruikelijke openingszin gebruiken: 'Weet je, normaal hou ik helemaal niet van Marokkaanse meisjes, ze zijn altijd zo lelijk.' De meisjes zouden hier geschokt op reageren. Deze lichte ontwrichting zorgde voor wat hij 'de shockeffect' noemde. Als hij dat bereikt had, vervolgde hij altijd met: 'Maar jullie zijn anders.' Dus hij maakte een compliment nadat hij hen eigenlijk beledigd had. Zijn natuurlijke charme meende hij dan terug te winnen door te zeggen: 'Jullie vinden het toch niet erg dat ik dat eerlijk zeg hè?' Hij was een eerlijke jongen. Niet zo'n leugenaar als al die anderen. Nee, hij niet. Als het ging om het versieren van Marokkaanse meisjes, hield Zakaria er hele theorieën op na. Hij vergeleek het met kickboksen: soms laat je je tegenstander een stootbeweging maken zodat hij even zijn dekking laat vallen, en op dát moment sla je toe. Vooral Marokkaanse meisjes moest je volgens hem zo inpakken. Voor iemand die normaal niet van Marokkaanse meisjes hield, was hij verdacht veel met hen bezig.

Wat moest hij ook anders? Het gezin van Zakaria was het enige Tunesische gezin in de hele buurt. Sterker nog, Nadir had überhaupt nog nooit andere Tunesiërs ontmoet. In het algemeen waren die niet verder Europa in gekomen dan Frankrijk. Er werd dan ook vaak spottend geroepen dat Zakaria's vader een paar afslagen had gemist toen hij de grote oversteek maakte. Maar goed, Zakaria was licht getint met aan de zijkant opgeschoren krulletjeshaar en voldeed daarmee volledig aan het profiel. N.A.T.O.S. noemden ze dat bij de politie: Noord-Afrikaans Tuig Op Sportschoenen. Intussen had Zakaria zijn grootste troef al uit zijn binnenzak gehaald: een klein, zilverkleurig veldflesje, tot de rand gevuld met Bacardi. Alcohol op een Marokkaanse bruiloft is als mobiele telefonie in de gevangenis: je ziet het nooit, terwijl iedereen weet dat het er is, en als je het hebt, ben je de koning. De meisjes zouden nog even doen alsof ze dit niet konden maken, maar na wat aandringen zou Zakaria van hun cola lights een zogeheten voetbalcola maken. Vanaf dat moment was het vaak appeltje eitje met het uitwisselen van gegevens en later te maken geheime afspraken.

De band zette een nieuwe melodie in, die de hele zaal begon mee te zingen. Nadir keek naar de ingang van de zaal en zag een stel mensen uit de buurt een gigantische taart naar binnen dragen. Iedereen in de zaal keek er vol ontzag naar, omdat de taart zo mogelijk nóg groter was dan op de bruiloft van Nadirs broer een paar jaar geleden. Terwijl de taart op een tafel voor de bruid en de bruidegom werd neergezet, zodat zij en de rest van de zaal er nog eens goed naar konden kijken, merkte Nadir dat Zakaria en Abdel naast hem aan de bar waren komen staan. Abdel droeg een spijkerbroek met een glimmend zwart hemd, terwijl Zakaria tot Nadirs grote verbazing in een splinternieuw en opvallend goed gesneden pak was gekomen.

'Goed feest man,' zei Abdel, die de zaal inkeek alsof hij hier was om de kwaliteit van het feest te inspecteren.

'Thanks. Ben er ook best wel lang mee bezig geweest, vooral die versiering die ik daarboven heb opgehangen,' grapte Zakaria om Nadir een beetje te klooien. Eén woord uit zijn mond was genoeg voor Nadir om te ruiken dat Zakaria zijn eigen consumpties had meegenomen.

Hij pakte zijn glas en rook eraan.

'Jongen!' zei hij tegen Zakaria. Die deed alsof hij nergens van wist en rook ook aan het glas. Hij deed alsof hij het nu ook pas merkte, en maakte verongelijkte gebaren alsof de barman hem dit zo had gegeven. Natuurlijk wist Nadir dat Zakaria en Abdel van tijd tot tijd alcohol dronken. De ene keer meer dan de andere. Hij had zelf ook een korte periode gedronken, maar was er al snel van afgestapt. Dat zij ermee door waren gegaan, was zijn zaak niet, maar ze moesten het respect voor zijn familie opbrengen dat niet op de bruiloft van zijn zus te doen.

'Ik schat twintigduizend,' zei Abdel uit het niets. Nadir keek hem onbegrijpend aan. 'Hoeveel je ouders voor deze bruiloft hebben neergelegd.' Nadir schudde zijn hoofd, maar Abdel was al bezig met tellen.

'Ik heb en beetje lopen tellen. Eten en drinken voor tweehonderd mensen, kleding voor de bruid en bruidegom, hotel voor de familie.'

'Ik weet niet, man, ik heb me daar niet mee beziggehouden,' kapte Nadir hem af, en om het onderwerp te veranderen begon hij maar over het pak van Zakaria. Voor zover Nadir zich kon herinneren, had hij Zakaria nog nooit in een pak gezien. Nu verscheen hij opeens in een pak dat misschien nog wel mooier was dan dat van hem.

'Dat is een mooi pak trouwens. Is het nieuw?' vroeg Nadir zo nonchalant mogelijk.

'Ja. Speciaal voor vandaag, Hugo Boss,' zei Zakaria.

Nadir geloofde er geen flikker van.

'Rot op, Hugo Boss, echt waar?' Zakaria deed zijn jasje open en liet het label aan de binnenkant zien. Nadir zag dat er heel netjes en met de juiste letters 'Hugo Boss' stond en constateerde dat het pak wel echt moest zijn. Anders zou Zakaria namelijk een pak hebben waarop met té grote letters Hugo Boss midden op de achterkant prijkte.

'Tuurlijk is het echt, hoe bedoel je is het echt? Hugo Boss. Rechtstreeks uit Milaan, Milano,' zei Zakaria vol trots. Abdel, wiens aandacht was getrokken bij het horen van de naam 'Hugo Boss', en Nadir keken hem vol verbazing aan.

'Oké, oké,' ging Zakaria verder, 'via de achterbak van Mounir.' Dat maakte veel duidelijk. Mounir was een legende in de buurt, hij en zijn twee broers werkten op Schiphol en jatten daar werkelijk alles wat los en vast zat. Mounir was de heler van de drie. Van dvd-spelers tot bontjassen en opgezette goudvissen, je kon het zo gek niet bedenken of het kwam via Schiphol ons land binnen. En helaas voor Schiphol vaak via de handen van Mounir en zijn broers. De grap dat Mounir en zijn broers nog eens een vliegtuig zouden stelen, werd dan ook vaak gemaakt.

'Wat heb je hem gegeven dan?' vroeg Abdel.

'Twee,' antwoordde Zakaria hem.

'Twee? Twee wat? Tweehonderd?' vroeg Nadir hem vol verbazing. Zakaria knikte instemmend.

'Hoe ga je een pak kopen van tweehonderd euro terwijl je mij nog driehonderd moet geven? Of was je dat vergeten?' sprak Nadir Zakaria streng toe terwijl hij voor hem ging staan. Soms voelde hij zich een beetje hun oudere broer, terwijl hij in werkelijkheid maar één jaar ouder was. Zakaria begon te lachen en zei een beetje lacherig: 'Wowow, doe maar rustig, dit pak is nog niet eens betaald, dat doe ik later wel een keer.' Dit antwoord stelde Nadir nauwelijks gerust.

Terwijl Abdel en Zakaria nog wat aan het bekvechten waren over vijftig euro die Abdel nog van Zakaria zou krijgen, dwaalde Nadir af naar een gesprek dat hij eerder die middag met zijn vader had gehad.

'Ik moet morgen naar Marokko,' zei hij ineens, zelf verrast dat hij het hardop had gezegd. Abdel en Zakaria keken hem verbaasd aan.

'Ik weet het ook pas sinds vandaag, man. Mijn vader heeft de oude taxi verkocht aan een vriend en ik moet hem brengen. Ik vertrek morgenvroeg voordat het licht wordt.'

'Is je vader gek of zo? Dat is drieduizend kilometer. Wat heb je tegen hem gezegd?' vroeg Zakaria. Nadir hoefde deze vraag niet eens te beantwoorden, zelfs voor iemand als Zakaria, die in het algemeen weinig met regels en verplichtingen ophad, stond de wil van de vader boven alles.

'Fuck it, ik ga wel met je mee, ik heb toch niks te doen,' zei Abdel zonder een woord te liegen.

'Dat hoeft echt niet, man. En trouwens mijn vader heeft speciaal gezegd dat ik jullie niet mee mag nemen. Je weet hoe hij over jullie denkt,' antwoordde Nadir.

Dat wisten ze maar al te goed. Het was misschien wat bot om het zo te zeggen, maar Nadir kon Abdel en Zakaria op deze reis niet gebruiken. Zijn vader had zijn afkeuring van hun vriendschap nooit onder stoelen of banken gestoken. Abdel en Zakaria hadden geen diploma's en geen serieuze werkplannen, in tegenstelling tot de zonen van Nadirs vader. Hijzelf was in de jaren tachtig de eerste Marokkaan in heel Amsterdam geweest met een eigen taxi en taxivergunning. Hard werken voor de toekomst van je gezin was zijn devies. Door de week fulltime op de taxi om de eindjes aan elkaar te knopen, en nog wat overwerken in de avonden en de weekends voor het huis en de familie in Marokko. Het was een hard leven, maar succes kende zijn prijs. Bruiloften als deze kwamen ook niet uit de lucht vallen.

Zo makkelijk was Abdel niet af te stoppen: 'We rijden gewoon om de beurt en binnen *no time* zijn we daar, kunnen we meteen wat business praten, ik heb goed nieuws.'

Nadir draaide zich naar hem toe en sprak hem nu heel serieus toe.

'Het hoeft echt niet. Het is gewoon een zakelijk ding, man, ik moet die taxi daar droppen en daarna vlieg ik weer naar huis. Binnen een paar dagen ben ik terug en bespreken we alles. *Safi?*

2.

Bij het opkomen van de zon trok Nadir zachtjes de deur van zijn ouderlijk huis achter zich dicht. Met een koelbox vol *left overs* van de bruiloft, dat zijn moeder netjes in blauwe Tupperware-bakjes had gedaan, liep hij zijn verlaten straat uit.

De Balistraat. Al 22 jaar woonde hij hier en hij kende de straat vanbinnen en vanbuiten. Op deze stoeptegels had hij voor het eerst gefietst, gevochten, gestolen en gezoend, maar nu liep hij er om voor het eerst in zijn leven alleen naar Marokko te gaan. Die naam 'Balistraat' – hij had hem altijd mooi gevonden, en toen hij er als kind achter kwam wat het betekende, had hij aan zijn vader gevraagd of er ook ergens in Amsterdam een Ziaidastraat lag. Ziaida was het kleine plaatsje in de buurt van Rabat waar zijn vader vandaan kwam, en het was op dat moment de enige plek die Nadir kende in Marokko. 'Ja,' had zijn vader geantwoord. Hij stond er niet voor niets bekend om dat hij alle straten van Amsterdam kende. 'Het is de mooiste straat van Amsterdam met de mooiste huizen en de mooiste tuinen.' Maar op school had niemand ooit van de straat gehoord en in het stratenboek had Nadir hem ook niet gevonden.

Op veilige afstand van de oude taxi bleef Nadir staan. Op de motorkap van het oude bakbeest zat Abdel rustig een sigaret te roken. Zodra hij Nadir opmerkte, groette hij hem alsof er niets aan de hand was.

Nadir wist precies hoe laat het was.

'Ik kan dit zeker niet uit je hoofd praten hè?'

Abdel keek hem met een glimlach aan en schudde van nee.

'Ga dan op z'n minst van die motorkap af, je deukt dat ding helemaal in.' Abdel gleed van de kap af en ging met zijn tas aan de passagierskant staan. Nadir besefte dat elke vorm van discussie op dit moment energieverspilling was en stapte in, net als Abdel. Shit. Abdel zou de hele tijd willen praten en dat was nou precies waar Nadirs hoofd niet naar stond. Hij was moe. Tussen het starten en het wegrijden wachtte hij een tijd en hij hoopte dat Abdel alsnog uit de auto zou springen. Dat gebeurde niet en langzaam reden ze van de parkeerplaats door Nadirs straat. Zonder iets te zeggen passeerden ze Nadirs huis en sloegen de hoek om. Daar werden ze ruw opgeschrikt uit hun nog halfslaperige toestand door een gek die voor de auto sprong en zichzelf zowat op de motorkap wierp. Twintig centimeter, meer niet had het gescheeld of Nadir had hem overreden. Eenmaal van de schrik bekomen zag hij pas wie er helemaal buiten adem voor zijn auto stond. Het was Zakaria, die blijkbaar een heel stuk had gerend en nog steeds hetzelfde pak droeg als de dag ervoor. Verbaasd keek Nadir hem aan, en Zakaria groette gewoontjes. Toen hij eenmaal op adem was gekomen, stapte hij achterin en ging zitten.

'Sorry boys, ik kon geen taxi vinden.' Hij rook naar sigarettenrook, en van dichtbij was duidelijk te zien dat zijn pak behoorlijk verkreukeld was. Ongedurig gaf hij een kleine duw tegen de hoofdsteun van Nadir. 'Kom vriend, laten we gaan.'

Nadir had het gevoel alsof hij nog in een bizarre droom zat en reed weg. Op naar Marokko, niet in zijn eentje zoals hij had verwacht, maar precies zoals niét de bedoeling was geweest, met Abdel en Zakaria.

Vanaf de ring zaten ze zo op de snelweg. Terwijl de zon zijn plek aan de hemel zocht bleef het stil in de auto. Nadir dacht nu pas na over Abdel en Zakaria en wat hun gezelschap voor deze reis betekende. Waar-

16

om had hij niet geweigerd? Het enige geluid dat te horen was, was het lage en monotone gebrom van de zware dieselmotor van de Mercedes 250. Leek de auto vanbuiten al groot, als je er eenmaal in zat voelde je de ruimte en luxe van weleer pas echt. De heerlijke wegligging en robuuste bouw gaf je het gevoel dat je maar weinig kon gebeuren in deze wagen.

Vlak na Utrecht, verbrak Abdel de stilte.

'Hoe was het feestje nog gister?' vroeg hij aan Nadir.

'Feestje was tof man. Ik heb daarna nog wat opgeruimd, spullen gepakt. Iedereen sliep thuis nog.'

Abdel knikte begrijpend. 'Heb je wel wat geslapen?'

De wallen onder Nadirs ogen verrieden dat de nacht kort was. 'Nee man, jij?' zei hij maar. 'Een paar uurtjes,' antwoordde Abdel, die als een prins had geslapen.

'Ik heb helemaal niet geslapen,' klonk het ondeugend vanaf de achterbank.

'Was je nog met die nichtjes van de bruidegom?' vroeg Abdel gretig.

Zakaria knikte lachend. 'Ja'.

'Ho ho, die mensen zijn nu mijn aangetrouwde familie, ik wil er niks van weten. Het is al erg zat dat die Tunesiër schande op die familie heeft gezet.' zei Nadir om de twee te stoppen voordat er echt onsmakelijke dingen gezegd zouden worden.

Abdel had het verhaal graag willen horen, maar wat kon hij doen? Familie is familie.

Uit protest zette Abdel de oude autoradio aan. Er stak een bandje in, klemvast, dus waren ze voor de rest van de reis aangewezen op de radiokanalen. En dan ook nog alleen de AM-kanalen. Abdel kende niet eens een zender die op AM zat en vond er met moeite eentje waarop een sentimenteel nummer van Liesbeth List klonk: 'Het gras zal altijd groener zijn, daar in het land ver weg.'

Terwijl Zakaria zich op de achterbank in een slaaphouding nestelde, keken Abdel en Nadir naar buiten. Met een behoorlijke vaart zoefden ze langs uitgestrekte velden, kleine dorpjes met hoge kerktorens en ouderwetse molens. Ze reden over rivieren, kwamen door tunnels en viaducten en passeerden stadjes met namen waarvan ze nog nooit hadden gehoord. Nederland mocht dan wel vol zijn, buiten de Randstad was het toch verdacht leeg.

DEEL 2: BELGIË

3.

Nadir leunde tegen de zijkant van de auto en keek naar de rollende getallen op de meter van de benzinepomp. Zijn vader had hem op het hart gedrukt de auto pas in België vol te gooien omdat het daar goedkoper zou zijn. Het tankstation had op het eerste oog net zo goed Nederland kunnen zijn, maar dan wat viezer en armzaliger. Misschien was dat wel een goede beschrijving voor heel België, bedacht hij. Vanaf de Belgische grens werd de weg een stuk slechter, je merkte het zo gauw je grensbord passeerde. Abdel was ook uitgestapt en deed zijn trui uit. Onder die trui droeg hij het Franse voetbalshirt dat hij al jaren had. Nadir kon zich zelfs herinneren dat Abdel dat shirt al droeg toen het hem nog veel te groot was. Zakaria, die ook toen al een kop groter dan Abdel was geweest, had meermalen geprobeerd het shirt van hem te kopen of tegen iets te ruilen, maar Abdel had altijd geweigerd. Lenen was al helemaal uit den boze in hun groepje. Lenen betekende namelijk iets afgeven zonder dat je er geld voor kreeg of wist wanneer je het terugkreeg.

'Weten ze in Marokko eigenlijk dat er geen airco in deze auto zit?' zei Abdel. Het was waar, de airco was al jaren stuk.

'Weet ik veel,' antwoordde Nadir. 'Ik hoef hem alleen maar te brengen. En er is alleen maar in Nederland in gereden. Voor die twee weken zon die we daar hebben, heb je echt geen airco nodig.' Abdel zuchtte diep.

'Dat kan best, maar het is nu ongeveer honderd graden in deze kutauto.' Nadir keek hem fronsend aan.

'Kutauto? Een beetje respect voor deze auto, vriend? Deze auto heeft vijftien jaar lang voor brood op de plank gezorgd. Toen mijn vader deze auto kocht, was het de dikste auto van de hele buurt.'

Abdel schudde zijn hoofd. Als hij ergens niet op zat te wachten, was het wel voor de miljoenste keer het verhaal horen van Nadirs vader die de eerste Marokkaan was geweest in Amsterdam met een eigen taxivergunning en hoe baanbrekend dat destijds was geweest.

'Ja ja ja,' zei hij maar om van het onderwerp af te zijn en hij tuurde door de zijruit de auto in. Op de achterbank lag Zakaria nog precies in dezelfde houding waarin hij een paar uur eerder in slaap was gevallen. Nadir en Abdel wisten allebei donders goed dat ze hem maar beter zijn roes konden laten uitslapen.

'Ik heb trouwens een paar nieuwe logo's uitgewerkt, laten we daar straks even naar kijken. En ik heb een website gevonden waar we heel goedkoop shirtjes kunnen laten drukken,' zei Abdel terwijl ze langs het rek met chips liepen in het scharrige winkeltje van het tankstation.

'Oké,' mompelde Nadir terwijl hij net deed alsof hij geboeid de achterkant van een zak chips las.

Van achter de kassa werden ze nauwlettend in de gaten gehouden door een vrouw van middelbare leeftijd. In principe werden jongens als Nadir altijd wel in de gaten gehouden in winkels, maar hij werd zich er nu pas van bewust toen Abdel het zachtjes zei. Ze stonden achter een laag schap in het midden van het winkeltje, waarop allerlei snoep lag uitgestald, en Nadir richtte zijn blik langzaam omhoog. De caissière en Nadir keken elkaar even recht in de ogen, waarop de vrouw zich een beetje uitstrekte en wantrouwend probeerde te peilen wat zich achter dat rek afspeelde. Nadir kende deze situatie en wist dat er verschillende manieren waren om ermee om te gaan.

'Laten we "De Trap" doen,' zei Abdel zachtjes tegen hem.

De Trap. Van alle mogelijke oplossingen was De Trap waarschijnlijk de laatste geweest waar Nadir op was gekomen. 'Nee man,' fluisterde hij terug, terwijl ze nog steeds vrij schaamteloos op hun vingers werden gekeken.

'Waarom niet?' vroeg Abdel zachtjes.

Ja, waarom ook niet? Omdat het een slecht idee was waarschijnlijk. Niet dat ze het niet verdiend had.

Abdel gaf hem een por. 'Ben je klaar?' zei hij en voordat Nadir het wist, had Abdel De Trap al ingezet. De vrouw, die ook het gefluister niet was ontgaan, keek de jongens geïrriteerd aan. Nadir liep een stukje, terwijl Abdel opzichtig verdacht om zich heen keek. Hij schraapte zijn keel en begon een stukje achter het schap te lopen, elke stap een stukje meer door de knieën, waardoor het er voor de vrouw moest uitzien alsof hij een kelder in liep. Een kelder, midden in een tankstationwinkeltje ergens in België.

De vrouw werd helemaal gek toen Abdel volledig achter het schap verdwenen was en er even later ineens een hand omhoogstak die – als ware het een veroverde vlag in de handen van een soldaat – een zak chips vasthield. Toen Abdel zijn truc voltooide, zichzelf in een soort onzichtbare lift omhoog veerde en uitdagend lachte, voelde de vrouw zich uiteraard behoorlijk beetgenomen. Gegeneerd keek ze maar naar haar kassa en deed alsof ze opeend ergens heel druk mee was.

Met trillende handen haalde Nadir even later buiten het winkeltje zijn zakken leeg.

'Het is zeker vijf jaar geleden dat ik dat had gedaan,' zei hij.

'Wat? Je moet jezelf in vorm houden voor als de oorlog uitbreekt. Jongen, Zacky en ik doen het zeker nog één keer per maand,' zei Abdel.

Nadir vroeg zich af welke oorlog Abdel kon bedoelen en keek in zijn handen naar de buit die hij uit zijn zakken had gehaald.

Een Mars, drie Chupachups-lolly's, een reep Toblerone en een Bi-Fi.

'Een Bi-Fi?' vroeg Abdel verontwaardigd. 'Wie moet dat gaan eten dan?'

'Weet ik veel, het was het eerste wat ik kon pakken,' zei Nadir.

'Een beetje zoals je met meisjes bent,' zei Abdel. Hij stopte de mars en de lolly's in zijn neppe Prada nektasje en keek nogmaals vol afschuw naar de Bi-Fi.

'Als je dat ding eet, kom je twee keer in de hel. Eén keer voor stelen en daarna nog een keer voor het eten van varkensvlees.'

Nadir keek naar de achterkant van de verpakking.

'Hier jongen, Bi-Fi, bief, rundvlees,' zei hij triomfantelijk tegen Abdel, die niet onder de indruk was. 'En als jij je zo'n zorgen maakt om de hel, hoop dan maar dat die kassavrouw haar baan niet verliest door deze actie van je.'

Abdel keek hem nonchalant aan en haalde een sigaret uit zijn pakje. 'Fuck haar en haar baantje. Had ze haar diploma maar moeten halen.'

Nadir keek verbaasd naar Abdel, die een sigaret opstak. 'Je hebt zelf ook geen diploma!' Abdel nam een hijs en wees met zijn wijsvinger naar zijn slaap. 'Maar ik heb een plán,' zei hij knipogend en liep naar de auto.

4.

In het zuiden van België begon het landschap al het heuvelachtige te krijgen waar Noord-Frankrijk om bekendstaat. Ook de plaatsnamen deden Frans aan in dit stukje Franstalig België, maar de jongens stopten nergens en spraken dus niemand. Terwijl de auto vooruit raasde, keek Abdel gebiologeerd naar de lege verpakking van de Mars die hij net op had. Nadir vroeg zich af hoe iemand een Mars kon eten met deze temperaturen in de auto, maar hij besloot er niets over te zeggen. Hij had sowieso nog niets gezegd over zijn plannen in Marokko, en hij wist ook niet precies hoe hij het zou vertellen. Op de achterbank lag Zakaria nog steeds in een diepe slaap. Nadir wilde niet eens raden wat zich in zijn dromen afspeelde.

'Kijk nou, Rafaël van de Vaart, beetje op de zijkant van een Mars staan. Deze gast heeft geen bal geraakt het afgelopen wk. Zeker een miljoentje gevangen hiervoor.'

Dat was wat Abdel altijd deed. Om duidelijk te maken dat hij op een dag ook miljoenen zou hebben, sprak hij grote of dure dingen altijd in hun verkleinvorm uit. Op die manier leken de dingen niet onbereikbaar meer. '*Ewa zag je die Ferraritje?*' of: '*Ik zag Fahd lopen, hij had een nieuwe Breitling-horlogetje.*' Dat soort dingen.

'Minimaal een miljoentje, alleen daarom al zou ik voor het Nederlands elftal spelen, al die extra deals. Nike. Coca-Cola. Pringles.' Hij zag het helemaal voor zich.

'Dus als je zou mogen kiezen, zou je liever voor Nederland spelen dan voor Marokko?' vroeg Nadir geïnteresseerd.

Hij was van de oude stempel en had het ook jammer gevonden toen Afellay voor Nederland had gekozen. Natuurlijk had ook hij in een oranje shirt met wat studiegenoten de WK-finale gekeken en stiekem een traantje weggepinkt na afloop. Maar toch.

'Honderd procent vriend,' zei Abdel. 'Hoe wou je anders wereldkampioen worden? Marokko deed niet eens mee afgelopen zomer.'

'Maar daar moeten wij nou juist verandering in brengen, snap je?' zei Nadir terwijl hij aan alle in Nederland, België en Frankrijk spelende Marokkaanse profs dacht.

'Verandering *abish* verandering. Zolang de koning onze opstelling blijft maken en zijn neef in het goal staat, veranderen wij helemaal niks!'

Nadir wist dat Abdel een punt had.

'Mijn vader zou me nooit meer aankijken. En de jouwe ook niet.'

Even leek het erop alsof Abdel nog iets terug ging zeggen, maar er kwam niets behalve een instemmende blik.

DEEL 3: FRANKRIJK

5.

De parkeerplaats waar ze waren gestopt, lag een eindje van de snelweg af, en vanaf de picknicktafel waar Abdel en Nadir zaten, keken ze uit over een fraai Frans landschap. In een glooiend veld zagen ze druivenplukkers die bezig waren in een wijngaard. De geplukte druiven werden in houten kistjes achter op een ouderwetse pick-uptruck gelegd. Hoewel ze niets zeiden, konden ze allebei alleen aan die Appelsientjecommercial van een paar jaar geleden denken. Zo zag het er namelijk uit, maar dan met druiven in plaats van sinaasappels. De zon scheen fel, want het was al drie uur. Ze waren nu acht uur onderweg, waarvan ze zeker zesenhalf uur goed hadden doorgereden. Ze hadden net ergens voorbij Épinal een afslag genomen naar Belfort voor een *aire*, zoals ze dat hier noemen. Vooral in de zomer kon je beter een rustplek aan een minder grote weg zoeken, zodat er misschien nog ruimte was en je niet op een halve vuilnisbelt van voorbijgetrokken toeristen belandde. Dit was overigens allemaal reiswijsheid die Nadirs pa hem op het hart had gedrukt. Die was in zijn leven tig keer op en neer naar Marokko gereden, dus als iemand het wist was hij het wel.

Naast de tafel stond de koelbox en op de tafel lag al het lekkers dat er al een hele dag in had gezeten. Wat precies genoeg had moeten zijn voor Nadir' om de eerste twee dagen door te komen, was nu niet meer dan een rijke maaltijd voor hen drieën. Er waren pastilla met vis, marka met pruimen en lamsvlees, en brood met tajine.

Terwijl Abdel en Nadir al aan het eten waren, hoorden ze een van de deuren van de verderop geparkeerde taxi opengaan. Met de motoriek van een kreupele hees Zakaria zichzelf van de achterbank, duidelijk nog in een halfslaap. Zes uur lang slapen op warme zweterige achterbank had duidelijk zijn tol geëist, want al rekkend en strekkend liep hij rechtstreeks naar de halfgevulde fles water die op tafel stond. Zonder een woord te zeggen zette de fles aan zijn mond. Terwijl Nadir en Abdel hem bewonderend aankeken, dronk hij de fles in één teug leeg om daarna te gaan zitten met een nors 'het is fucking warm in die auto'. Als een oerman scheurde hij vervolgens wat brood af en stopte dat in zijn mond. Hij knipperde een paar keer om aan het felle licht te wennen en al kauwend om zich heen kijkend zei hij: 'Waar zijn we eigenlijk?'

Dit was precies zoals Nadir Zakaria altijd had gekend. Hun eerste kennismaking herinnerde hij zich nog goed. Zakaria woonde toen nog tegenover hem, maar aangezien hij zes was en Zakaria vijf, mochten ze allebei de Balistraat niet oversteken. Op de spaarzame momenten dat Nadir voor de deur mocht spelen, zat Zakaria altijd op het laagste treetje van hun trap. 's Ochtends, 's middags en 's avonds. Altijd als Nadir naar buiten ging of uit het raam keek, zat dat grappige jongetje daar. Altijd met dezelfde trui aan, een volle bos met krullen en steevast met viezigheid in zijn gezicht van het spelen of een pleister. Dit ging al maanden zo en de twee jochies groetten als ze elkaar zagen. Als er niet te veel auto's reden, schreeuwden ze zo nu en dan iets over en weer. Op een woensdagmiddag was Nadirs vader aan het werk, zijn twee broers waren naar een voetbalpleintje om de hoek en zijn moeder was binnen aan het schoonmaken. Nadir moest buitenspelen want het was goed weer, hij mocht vijf deuren naar links en vijf deuren naar rechts. Hij was al een tijdje in zijn eentje bezig met een grote knikker die hij van zijn broer had gekregen, toen er opeens een wat oudere jongen achter hem stond. Hij vroeg of hij Nadirs knikker mocht zien. Nadir hield hem omhoog en de jongen keek er bewonderend naar. Toen vroeg de jongen of hij hem even mocht vasthouden.

Nou was Nadir als de benjamin van het gezin nogal beschermd opgevoed, maar helemaal op zijn achterhoofd gevallen was hij niet. Dus hij schudde zijn hoofd en stopte de knikker weer in zijn zak. Maar de jongen begon aan te dringen. Nog steeds weigerde Nadir en op het moment dat hij wilde weglopen, pakte de jongen hem bij zijn keel en drukte hem tegen de muur. Nadir probeerde zich uit deze positie los te maken, maar de jongen, die een jaar of twee ouder was, was simpelweg te sterk. De knikker, die eigenlijk veel te groot was voor de kleine zak in Nadirs spijkerbroek, viel eruit en zonder dat de jongen het doorhad, volgde Nadir de knikker, langzaam rollend van de stoep naar de straat. De jongen werd steeds ruwer en begon tegen Nadir te schreeuwen. Nadir keek hem nu aan en zag dat de jongen zich klaarmaakte om in zijn gezicht te spugen, maar voordat hij dat kon doen, hoorde Nadir een doffe klap en zakte de jongen door zijn knieën. Achter hem stond Zakaria met in zijn handen de grote knikker.

Versuft stond de jongen op en keek verbaasd naar zijn handen, waarop een klein beetje bloed zat. Op het moment dat hij zich naar de kleine Zakaria draaide, haalde die echter nog eens uit, nog steeds met de knikker in zijn hand, en raakte de jongen vol op de zijkant van zijn gezicht. Totaal verbluft en nog niet bijgekomen van de tweede klap, staarde de jongen de twee snotjochies aan en rende weg. Zonder iets te zeggen gaf Zakaria de knikker aan Nadir en stak over om weer op zijn trapje te gaan zitten. Vanaf dat moment waren ze vrienden geweest. Enkele maanden waren ze allebei oud genoeg om de straat over te steken en de buurt te verkennen. Al snel ontdekten ze dat Abdel om de hoek woonde.

'Noord-Frankrijk, je hebt iets van zes uur geslapen of zo,' zei Nadir terwijl hij Zakaria in zich opnam. Van een afstandje moest het een gek gezicht zijn geweest. Drie jongens uit Nederland die met een taxi op een Franse parkeerplaats stonden en een feestmaaltijd uit een koelbox haalden. Eén droeg een Frans voetbalshirt en een ander een verfomfaaid pak.

Zakaria schepte wat voor zichzelf op en de drie genoten van hun eten, het uitzicht en het lekkere weer. Abdel schraapte zijn keel zoals mensen doen die in films een speech gaan geven.

'Nu we hier samen zijn, heb ik goed nieuws,' zei hij op een mysterieuze toon. 'Ik hem met mijn oom gepraat, heb hem onze plannen uitgelegd en verteld hoe gemotiveerd we zijn.' Door de manier waarop Zakaria af en toe ja knikte, wist Nadir dat hij het nieuws al had gehoord. Voor Nadir was het nieuw, al had hij wel een gevoel waar dit naartoe ging. Een slecht gevoel vooral.

'We kunnen over drie maanden voor een familieprijs in zijn pand in de Leidsestraat, ik weet, het is nog niet perfect, maar alles wat we nodig hebben staat er eigenlijk al en als we het een beetje opknappen, kan het een paleisje worden.' Nadir keek er bedenkelijk bij.

'De Leidsestraat? Tegenover de McDonald's en de Burger King? Dat is de enige zaak van je oom die niet loopt,' zei hij een beetje nors tegen Abdel.

'Ja, die zaak ja. Maar wat hij niet heeft en wij wel, is een revolutionair concept.' Weer maakte hij het gebaar met zijn wijsvinger naar zijn hoofd. Nadir was ervan overtuigd dat hij dit recentelijk in een film had gezien en daarom zo vaak gebruikte.

'Ik weet het niet,' zei hij. 'Je hebt toch nog geen ja gezegd?'

De blik in Abdels ogen sprak boekdelen. 'Je kent mijn oom, één kans, nooit meer. Als we terug zijn, neem ik jullie mee en laat ik jullie precies zien wat ik bedoel!' Nadir zuchtte diep en schudde zijn hoofd, ergens deze reis zou hij Abdel nog wel vertellen hoe hij hierover dacht. Abdel was altijd degene geweest met plannen die groter waren dan zijn mogelijkheden. Aan handelsgeest ontbrak het hem niet, al toen ze klein waren wierp hij zich op als de handelaar van hen drieën. Abdels moeder was schoonmaakster in een lollyfabriek en daardoor had Abdel zijn zakken altijd vol met mislukte lolly's. Lolly's met twee stokjes, lolly's zonder stokje en 'Siamese lolly's' zoals Abdel ze noemde: twee lolly's die tegen elkaar zaten en een soort snoepvariant van de dubbellikker waren. Het duurde niet lang of hij begon die lolly's te ruilen tegen voetbalplaatjes en stickers, en vervolgens niet lang voor hij ze gewoon verkocht.

Zakaria was al een tijdje afgehaakt en tuurde aandachtig naast een picknicktafeltje een paar meter verderop. Nadir draaide zich om en zag waar hij naar keek: een Arabische man van een jaar of vijftig die in de schaduw van een boom zijn gebed afrondde en opstond. Ook Zakaria maakte aanstalten om op te staan.

'Ik ga hem vragen of hij bij ons komt zitten,' zei hij.

'Nee man, doe niet,' antwoordde Nadir.

'Als wij niet waren meegegaan, zou je dan niet willen dat mensen je zouden vragen om bij ze te zitten?'

Eigenlijk niet, dacht Nadir, maar het was al te laat.

'Hé Monsieur! *Voulez-vous... ehm... avec...?*' riep Zakaria, nogal beperkt door zijn kennis van het Frans.

Abdel keek hem aan en imiteerde hem spottend.

Zakaria herpakte zich en vroeg het nog eens, maar dan in het Arabisch: '*Edzie tekkoel mhenna?*'

De man keek ze hen aan en wees vragend naar zichzelf. Zakaria knikte hem toe en de man kwam op ze hen afgelopen. Hij nam de uitnodiging van Zakaria aan en ging naast Nadir zitten op de stenen bank. Hij begroette de jongens in het Arabisch, dat ze allen spraken. Zij het met de subtiele verschillen en accenten van hun eigen land. Een beetje zoals Nederlanders en Belgen elkaar kunnen verstaan als ze hun best doen en niet in hun eigen dialect spreken.

'Komen jullie uit Marokko?' vroeg de man, die eenvoudig gekleed was. Hij droeg gemakkelijke schoenen, een trainingsbroek en een bruinig hemd met korte mouwen. Nadir zei dat hij en Abdel uit Marokko kwamen.

'Ik kom uit Tunesië,' voegde Zakaria er snel aan toe. Tunesië was een mooi land, zo meende de man, hij was daar vaak geweest en ze hadden er goede dadels. Zakaria straalde van trots.

'En u?' vroeg hij hem heel beleefd.

'Ik kom uit Algerije, ik ben op weg daar naartoe, ik heb een vracht afgeleverd in Parijs.'

Zakaria vroeg of het goed was gegaan. Soms was Zakaria best een nette jongen, bedacht Nadir.

'Ik rij die route al vijftien jaar en kan hem praktisch met mijn ogen dicht rijden,' zei de man. De jongens lachten. 'En jullie? Waar gaan jullie heen?'

Uiteraard was het Abdel die het woord nam en het liet klinken alsof zíjn plan was geweest. 'We brengen die oude taxi naar Rabat.'

De man keek naar de taxi en aan zijn gezicht viel bewondering af te lezen. 'Een Mercedes 250D, een van de beste auto's ooit gemaakt, kun je mee door een muur rijden terwijl je ruitenwissers het blijven doen.'

Intussen had Nadir wat eten voor hun gast neergezet. De man keek naar zijn bord en de rest van de tafel. Er stonden wel tien Tupperware-bakjes met de meest uiteenlopende Marokkaanse gerechten erin.

'Dit is echt een feestmaal,' zei hij, 'degene die dit voor jullie gemaakt heeft, houdt echt van jullie.' De jongens knikten.

'Het is nog over van een bruiloft van gisteren,' zei Nadir.

'Echt? Wie is er getrouwd? Jij met dat mooie pak aan?' zei hij terwijl hij Zakaria aankeek, die meteen met volle mond 'nee' begon te roepen. Abdel ging stuk van het lachen.

'Nee, het was de bruiloft van mijn zus,' zei Nadir.

De man keek Nadir vriendelijk aan en hief zijn plastic bekertje. 'Laten we in dat geval proosten op alle zussen wereldwijd en al het eten dat overblijft van hun bruiloften.'

Toen iedereen zijn bord leeg had gegeten, excuseerde de man zich, liep naar zijn truck, en kwam even later terug met een klein, in bruin papier gewikkeld doosje dat hij op tafel zette. Aandachtig volgden de jongens zijn plechtige bewegingen. Voorzichtig maakte de man het pakje open en hij haalde één dadel uit het doosje. Het was de grootste dadel die de jongens ooit hadden gezien. Bijna zo groot als een ei. Met zijn mooie, goudbruine kleur zag hij er in de Franse middagzon heerlijk uit.

'De dadel, het brood van de woestijn,' zei de man levendig.

'Hebben jullie de Koran gelezen?' Nadir had hem gelezen, maar zei niets, hij had al zo lang niet meer gebeden dat hij zich er op dit soort momenten voor schaamde. Ook Abdel knikte een beetje halfslachtig, tussen ja en nee in.

'Ja,' zei Zakaria, die er zo overtuigend bij keek dat behalve Abdel en Nadir hij er zelf ook nog in zou gaan geloven. 'Ik heb hem gelezen.' Nadir keek Abdel afkeurend aan.

'In de Koran staat namelijk dat eenieder die zijn dag begint met zeven dadels, beschermd zal zijn tegen gif of een vloek.' De jongens keken de man aan alsof ze weer zeven waren en Sinterklaas op school kwam. Sinterklaas, die man met dat rare pak die alles van alle kinderen wist, behalve hoe hij de namen van Nadir en zijn vrienden moest uitspreken.

'Het stond vroeger op de muur van ons huis geschreven en als je goed kijkt, zie je het nog steeds. Zolang de mensen zullen lezen, zullen ze dadels eten, zei mijn opa altijd. Dat is nog eens marketing! Als dank voor dit feestmaal wil ik jullie deze speciale dadels geven. Ze komen uit de tuin van mijn familie,'

De jongens lachten en Abdel nam de ene dadel van de man aan. Hij brak hem in doormidden, deed de helft in zijn mond en gaf de andere helft aan Zakaria, die hetzelfde deed en een helft aan Nadir gaf. De smaak van de dadel deed zijn gedachten afdwalen naar Rabat.

6.

Groot en rood ging de zon onder achter de Franse heuvels met hun uitgestrekte velden en sprieterige telefoonpalen die erop leken gezet om het landschap bij elkaar te houden. De jongens hadden alweer een paar uur gereden zonder dat ze een woord hadden gezegd over de opmerkelijke ontmoeting die ze met de man met de dadels hadden gehad.

'Weet je wat het eerste is wat ik ga doen als we aankomen? Zwemmen. In de zee. *Wayow*, dat heb ik echt al lang niet meer gedaan. Rabat ligt aan de zee toch?' vroeg Zakaria. Abdel keek hem aan alsof hij iets heel doms vroeg.

'Jongen, je gaat het zien, Marokko heeft de mooiste stranden in de wereld.'

De zee was voor de jongens de zee in het land van hun ouders. Met de ijskoude en bruinige plas water die naast ons land lag, hadden ze weinig. Nadir kon zich slechts die keer herinneren dat ze daar met school waren geweest. Hij had tot aan zijn enkels in de zee gestaan en kon zijn voeten niet zien. Wie zwom er nou vrijwillig in zo'n zee?

'En jij?' vroeg Abdel aan Nadir.

'Ik heb daar nog wat afspraken.' Zei hij kortaf.

'Wat voor afspraken?'

'Gewoon, afspraken. Dingen die ik moet doen.'

'Zoals?'

'Zoals dingen die ik voor m'n vader moet doen,' zei hij, plotseling geïrriteerd. 'Hoe lang ben je eigenlijk al niet meer in Tunesië geweest?' vroeg hij snel aan Zakaria.

'Weet ik veel, een jaar of zes of zo,' zei hij een beetje bits. Abdel zei dat hij zich nog wel kon herinneren dat Zakaria daar was geweest.

'En sindsdien ben je nooit meer terug geweest?' vroeg Nadir, die wist dat Zakaria niet zo graag over zijn bezoekjes aan Tunesië sprak. Dat was vroeger wel anders, toen had hij het laten klinken alsof Tunesië een soort grote, zanderige variant van de Efteling was.

'Nee,' zei Zakaria kortaf.

'Waarom niet?' vroeg Nadir.

'Je weet toch, tijd, geld, dat soort dingen. Vroeger gingen we elke zomer met de auto, via Marseille en dan met de boot naar Bizerte.'

'En nu?' vroeg Nadir.

'M'n vader kan niet meer zo lang rijden.'

Nadir keek in zijn achteruitkijkspiegel naar Zakaria.

'Zijn rug…' zei Nadir.

'Ja, zijn rug ja,' zei Zakaria, die langzamerhand een beetje bozig werd.

'Hij heeft zijn rug kapotgewerkt voor die mensen in de fabriek, en voor wat? Een uitkering, ww, heel de dag thuis op de bank zitten.'

Nadir wist dat Zakaria's vader arbeidsongeschikt was verklaard en dat verschrikkelijk vond. Hij wist ook dat zijn pa liever terug naar Tunesië wilde, maar dat zijn vrouw en kinderen dat niet meer zagen zitten nu ze helemaal gewend waren in Nederland. Dat had van Zakaria's vader een sombere en vaak slechtgehumeurde man gemaakt. Nog een reden voor Zakaria om meer buitenshuis dan daarbinnen te verkeren.

'Jongen, haal je rijbewijs!' zei Abdel, en hij bedoelde het goed.

'Een rijbewijs is duur vriend, kost tweeduizend euro! Waar moet ik dat vandaan halen?' zei Zakaria fel. 'En ook al had ik mijn rijbewijs, dan moest ik zeker iedereen daar de hele zomer rondrijden. Je weet hoe dat gaat, als de rijke familie uit Nederland er is, moet dit gemaakt worden, dat betaald worden en moet opeens iedereen naar de dokter. Die mensen snappen helemaal niet dat mijn ouders niks hebben.'

Bij die laatste zinnen was Zakaria behoorlijk woest kwaad geworden. Nadir begreep waar hij het over had – als hij met zijn ouders naar Marokko ging was het nooit anders geweest. Als kind al had hij vaak sportschoenen, gameboys en voetbalshirts bij neefjes en buurjongens achtergelaten. In het begin had hij dit altijd verschrikkelijk gevonden, maar naarmate hij ouder werd, begreep hij dat de dingen nou eenmaal zo waren. Het was een soort belasting die je als Europese Marokkaan betaalde voor het feit dat je weg was gegaan om fortuin te maken en je landgenoten daar achter had gelaten. Hoewel het gebeurde onder het mom van liefde, waren dit de ongeschreven regels. Abdel en Nadir beseften allebei dat dit een onderwerp was waar vanavond niet meer over gepraat zou worden.

De duisternis was al gevallen toen de Mercedes net voorbij Lyon de parkeerplaats van een goedkoop Formule1-hotel op reed. Het hotel, een tip van Nadirs pa, lag op een industrieterrein en toen Nadir uit de auto stapte, zou hij zweren dat hij hier een paar jaar geleden ook eens had geslapen. Aan de andere kant leken al deze hotels bijna identiek, het leek alsof ze er in één keer met parkeerplaats en al per helikopter waren neergezet.

Terwijl Abdel naar het armoedige gebouw keek en de lichtgevende letters *Chambre € 37* zag, keek hij Nadir teleurgesteld aan. Deze haalde zijn schouders op en liep richting de ingang. Vanbinnen zag het gebouw er al niet veel beter uit, terwijl ze door de gang liepen, omschreef Abdel het als een gevangenis in een Tunesische onderzeeër. 'Als Tunesië al ooit een onderzeeër zou hebben.'

'Alsof jij weet hoe een gevangenis er vanbinnen uitziet,' snoerde Zakaria hem de mond.

Zodra de deur van de kamer open ging zagen de jongens een smal tweepersoonsbed met daarboven een dwarsliggend stapelbed, een televisie en een tafeltje met een telefoon. Douches en wc's waren op de gang en de airconditioning was erbij ingeschoten. De taxi was bijna groter. Abdel en Zakaria bedachten zich geen moment en namen plaats op het bed, Nadir bleef staan en keek balend naar het eenpersoonsbedje dat erboven hing.

'Kom op man! Ik pas hier niet eens in! Abdel, jij bent de kleinste.'

Abdel deed alsof hij hem niet hoorde en zette met de afstandsbediening de tv aan. Met het geluid van een Franse voetbalwedstrijd als enig commentaar schudde Nadir teleurgesteld zijn hoofd en gooide zijn tas op het smalle matrasje. Hij was moe en had honger. Moe omdat hij de nacht ervoor nauwelijks een oog dicht had gedaan en hongerig omdat ze sinds de middag niks meer hadden gegeten, toen ze zijn eten voor de hele reis hadden opgegeten. Uit zijn tas haalde hij een klein alarmklokje en begon de wekker te zetten. 07.00 uur. Vandaag hadden ze weliswaar een paar lange stops gemaakt, maar ze waren op schema gebleven. Als ze morgen vroeg opstonden en doorreden, zouden ze in de avond in het zuiden van Spanje zijn.

Zakaria keek hem aan en vroeg wat hij aan het doen was, en toen hij antwoordde dat hij zijn wekker zette, moest Zakaria lachen.

'Waarom heb je een wekker bij je als je op vakantie gaat?' vroeg hij.

Nadir leunde naar voren en keek hem streng aan. 'Dit is geen vakantie.' Hij rechte zijn rug weer en liep naar de deur, hij had zijn vader beloofd elke dag te laten weten waar hij was. 'Luister, ik ga even een telefooncel zoeken, als jullie even gaan douchen, zien we elkaar over tien minuten bij de auto en zoeken we iets te eten.

De jongens keken hem niet-begrijpend aan.

'Hier is toch een telefoon,' zei Zakaria terwijl hij naar het tafeltje met de telefoon wees. Nadir keek ernaar en wist even niet wat hij moest zeggen.

'Weet je wat dat kost?' zei hij en hij liep de deur door. Abdel en Zakaria keken elkaar aan en richtten zich weer op de tv.

Naast het hotel aan de kant van de snelweg stond Nadir in het flauwe licht van een telefooncel. In het donker achter hem vlogen witte en rode lampjes voorbij, die het geluid van auto's en vrachtwagens maakten. Nadir gooide wat kleingeld in het apparaat en draaide het telefoonnummer van thuis. Nadat de telefoon een keer was overgegaan nam zijn zus op.

'Hé, met mij… Ja, alles goed… Geef me pappa even,' zei hij.

Nadir wachtte geduldig, aan de andere kant van de lijn leek het druk te zijn. Zodra hij een mannenstem hoorde, schakelde hij automatisch over naar het Arabisch.

'Pappa! Met Nadir… Ja alles goed… Voorbij Lyon al… De auto rijdt goed ja… Het is een goede auto. Nee, er is niets aan de hand… Ik belde gewoon… Je hebt ze nog gesproken vandaag… blij dat ik onderweg was… Ik ook, ja.'

Een beetje ongemakkelijk keek hij om zich heen. Hij hoorde zichzelf tegen zijn eigen vader liegen. Moest hij niet gewoon zeggen dat Abdel en Zakaria bij hem waren? 'Nee, nee… Er is niks… Ik ben er helemaal klaar voor… Ja, ik weet dat het een goede familie is. Mijn haar zit goed… Pappa mijn geld is bijna op, ik moet ophangen. Dag!' Toen hij de hoorn terug hing, viel zijn wisselgeld in het bakje. Voordat hij het pakte bleef hij nog even bedrukt staan.

Het stadje Couzon was niet zo groot. Sterker nog, in hun eerste poging een eettent te vinden waren ze er per ongeluk al een keer doorheen gereden. Uiteindelijk hadden ze een pizzeria gevonden die er niet zo heel anders uitzag dan de pizzeria's in hun eigen buurt. Een beetje een kale ruimte waar één of twee schilderijen hingen met Italiaans aandoende taferelen, deze keer een gondel in de Venetiaanse grachten en Marlon Brando in zijn rol van Don Corleone. Eros Ramazotti zelf was erbij gehaald om via de boxen van een tv, die op 'audio cd only' stond, het Italiaanse woord te verkondigen.

Ondanks dit alles had vooral Zakaria van het dorpje en het hotel een heus vakantiegevoel gekregen, iets wat hij niet onder stoelen of banken stak.

'Zeg eerlijk, dit is gezellig man. Gewoon wij zo, met z'n drieën, Frankrijk, het is te lang geleden,' zei hij toen ze naar binnen liepen en Abdel de kwaliteit van de tafels en de stoelen in zich opnam. Hoewel de eigenaar van een kilometer afstand te herkennen was als een Turk, had hij de jongens toen ze gingen zitten gegroet met: '*Bongiorno ragazzi*.'

'Wat is er toch met Turken?' had Abdel gezegd. Dit was één van Abdels' bekende theorieën, die hij te pas en te onpas liet horen: 'Waarom moeten ze altijd doen alsof ze Italianen zijn? Die Egyptenaren hebben daar trouwens ook een handje van. Misschien is de helft van de Italianen op aarde wel eigenlijk Turk of Egyptenaar en zijn er veel minder Italianen dan we eigenlijk denken.' Hij keek er verontwaardigd bij.

'Dan zijn er dus nóg meer Turken,' zei Zakaria alsof dit hem vermoeide.

'Ik hoop het niet,' zei Abdel bloedserieus. Ze keken beiden naar Nadir, die tegenover hen zat en een beetje in gedachten verzonken was.

'Wat denk jij?'

Nadir schrok op en zei dat hij niet echt geluisterd had.

'Maakt niks uit,' zei Abdel en hij haalde een geel, opgevouwen papier uit zijn binnenzak. Hij vouwde het uit en liet het A4'tje aan Zakaria zien.

'Dit zijn een paar logo's die ik heb uitgewerkt.'

Zakaria keek er aandachtig naar. 'Heb je ze op de computer gemaakt?'

Abdel knikte, zonder dat hij zijn trots helemaal kon verhullen.

'Ik vind die rooie wel mooi.'

Enthousiast pakte Abdel het papiertje terug. 'Ja hè? Die vond ik ook het meest pakkend.' Bij die laatste zin maakte hij met zijn handen een soort dierlijk klauwgebaar met zijn hand. Hij gaf het papier aan Nadir, die er even vluchtig naar keek. Abdel keek hem gespannen aan.

'Wat vind jij?'

Nadir zuchtte diep.

'Ik weet niet. Ik ben hier nu echt te moe voor, laten we afrekenen en gaan slapen.'

Zakaria pakte het blaadje uit zijn handen, keek nog even naar de logo's, vouwde het op en stopte het in de binnenzak van zijn colbert.

Terwijl Nadir van de pizzeria naar de auto liep, hoorde hij achter zich Abdel tegen Zakaria klagen over de pizza's. In elke eettent waar ze kwamen, gedroeg Abdel zich alsof hij voor de Keuringsdienst van Waren werkte. Soms vond Nadir het maar vermoeiend.

Hij deed het portier open en ging achter het stuur zitten. Voordat hij de auto kon starten en op het moment dat hij verwachtte dat Abdel naast hem zou gaan zitten, hoorde hij een vrouwenstem.

'*Conduissez-moi à Rue de La Fontaine.*'

Nadir keek naast zich en zag tot zijn grote verbazing een vrouw van een jaar of tachtig zitten. Ze zag er chic uit en was opgemaakt als een jong meisje. Haar grijze haar was volledig gekapt en ze leek wel gekleed voor een operabezoek. Ze herhaalde haar vraag en keek Nadir een beetje verdwaasd aan. Ze was een beetje wereldvreemd. Ergens zat er iets treurigs in de donkere ogen van de vrouw die zo laat nog in haar eentje op pad was.

'*I'm sorry, this is not a taxi,*' zei Nadir, die geen Frans sprak, maar snapte wat ze bedoelde.

'*Oui. Oui un Taxi. Rue de la Fontaine s'il vous plait,*' zei de vrouw bevestigend.

Nadir besefte dat het moeilijk zou worden om haar uit te leggen hoe het zat. Hij hoorde geklop. Door het zijraam keken Abdel en Zakaria eerst de vrouw en toen Nadir verbaasd aan. Nadir stapte uit en keek de jongens aan over het dak van de auto.

'Wat wil ze?' vroeg Abdel een beetje geïrriteerd.

'Volgens mij wil ze naar huis,' antwoordde Nadir zachtjes, alsof hij bang was dat de vrouw hem zou kunnen verstaan, als ze hem al hoorde. 'En ze denkt dat dit een taxi is. Volgens mij is ze niet helemaal bij.' Hij draaide met zijn vinger een rondje bij zijn hoofd.

'Trek haar gewoon uit de auto dan!' zei Zakaria die hier blijkbaar ook helemaal geen zin in had.

Nadir wist niet wat hij hoorde. 'Ben je gek of zo? Die vrouw is zeker tachtig, dat ga ik echt niet doen.'

'Fuck it, dan brengen we haar. Kom,' besloot Zakaria voor iedereen.

Terwijl ze de rand van het dorp al waren gepasseerd en steeds kleinere weggetjes in werden geloodst, begon Nadir zich een beetje zorgen te maken. Niet zozeer over de vraag of ze de bestemming wel zouden halen, want de vrouw wees hem erg secuur de weg, maar zorgen of ze de weg terug wel zouden kunnen vinden. Zakaria en Abdel deden een beetje lacherig op de achterbank, dus op hen hoefde hij niet te rekenen.

'Je bent een mooie jongen,' zei de vrouw in het Frans tegen hem terwijl ze door een uitgestorven straat reden met om de zoveel honderd meter een ouderwets stenen huis.

Nadir, die wist dat Zakaria's vader thuis wel eens naar de Franse televisie keek, vroeg aan hem wat ze zei. De vrouw herhaalde nog eens wat ze had gezegd.

'Ze vind je knap,' zei Zakaria. Abdel moest lachen. Nadir keek de vrouw aan en lachte beleefd naar haar.

'Toen ik jong was, kende ik een militair die er zo uitzag als jij,' vervolgde ze. 'Het was een knappe jongen en alle meisjes in het dorp waren verliefd op hem. Op een dag kreeg ik een stuk chocola van hem. Al mijn vriendinnen waren jaloers. De dag erna was hij weg en ik heb hem nooit meer gezien. Je lijkt op hem.'

Nadir had geen woord verstaan van wat de vrouw tegen hem had gezegd. Toen hij doorhad dat ze klaar was, vroeg hij Zakaria voorzichtig wat ze zei.

'Weet ik veel, ik heb niet echt opgelet.'

Abdel schudde zijn hoofd alsof deze trip absolute tijdverspilling was. Toen ze bij een huis stopten, pakte de vrouw haar portemonnee en haalde er een briefje van 20 uit, met handen en voeten maakte Nadir haar duidelijk dat dat niet hoefde. Toen ze het begreep, kreeg Nadir uit dankbaarheid een zoen op zijn wang. Ze stapte uit en liet hem een beetje beduusd achter in de auto.

'Ik had die twintig euro gepakt *a zemmel*!' zei Abdel.

7.

Nadir werd wakker van het geluid van een stofzuiger en spelende kinderen die tegen elkaar schreeuwden in het Frans. Toen hij eenmaal doorhad waar hij was, sprong hij op, waarbij hij net niet zijn hoofd tegen het plafond stootte. Hij keek op zijn wekker en zag dat het al halftien was. Vloekend klom hij uit de krappe hoogslaper en pakte zijn broek, die over het trapje hing.

'Hé jongens, wakker worden. Wakker worden!' Abdel en Zakaria verroerden zich niet. Nu begon Nadir de jongens wakker te schudden terwijl hij in lichte paniek bleef roepen dat ze moesten opstaan. Langzamerhand kwam er wat beweging in de jongens en gingen er zowaar wat ogen open.

'Wat is er?' kreunde Abdel met een schorre stem.

Nadir schoof het gordijn open en het zonlicht brandde de jongens wakker alsof ze vampiers waren.

'Wat is er nou?!' riep Abdel, die langzaam overeind kwam.

'We hebben ons vet verslapen. Ik heb heel die wekker ook niet gehoord, hebben jullie die wekker gehoord?' Abdel schudde van nee. Nadir deed zijn shirt aan.

'Ik heb hem uitgezet,' zei Zakaria zonder overeind te komen.

'Wat?' riep Nadir.

'Ik heb hem uitgezet,' zei Zakaria deze keer iets harder.

Nadir wist niet wat hij hoorde. 'Waarom?' Chagrijnig morrend kwam Zakaria een stukje overeind.

'Waarom? Wat denk je man, zeven uur is te vroeg vriend! Het moet wel een beetje leuk blijven.' De teleurstelling was van Nadirs gezicht te lezen. Dit was precies de reden waarom hij alleen had moeten gaan. Ze namen zijn plannen niet serieus, en hadden ook geen reden om dat te doen.

'Schiet op dan, kleed je aan, we gaan.'

'Ik ga eerst douchen,' zei Abdel, die eindelijk een beetje wakker was. 'Dat hebben jullie gisteravond toch al gedaan?' Abdel schudde van nee. 'Wat de fuck hebben jullie dan gedaan toen ik ging bellen?' vroeg Nadir geïrriteerd.

'Tv-gekeken…'

De jongens liepen door een gigantische supermarkt, die verlicht was door wel duizend tl-buizen en alles verkocht, van mountainbikes tot hele biggetjes. Abdel en Zakaria hadden er nog een halfuur over gedaan om zich klaar te maken en in de tussentijd had Nadir uitgezocht waar ze ontbijt konden halen. De enige plek in een straal van vijf kilometer bleek deze supermarkt te zijn, die eruitzag als de moeder van alle Aldi's. De jongens zochten water, brood, blikjes tonijn en mayonaise bij elkaar. Bij een carrousel met zonnebrillen bleef Nadir staan om er eentje uit te zoeken voor achter het stuur. Terwijl hij een rood, sportief model probeerde voor de spiegel, kwamen Abdel en Zakaria achter hem staan.

'En?' vroeg Nadir.

'Je ziet er uit als een flikker' zei Abdel terwijl hij en Zakaria stuk gingen van het lachen. Het was Zakaria die uiteindelijk een zwarte bril aanwees.

'Neem er drie!' zei hij erbij en Abdel en Zakaria liepen al richting de uitgang.

Terwijl Zakaria op de motorkap met zijn vlindermes met chirurgische precisie stokbrood belegde met tonijn en mayonaise, bekeek Nadir nog eens de kaart. De zon scheen fel op de drie jongens die rondom de auto stonden en hoewel het middaguur nog niet geslagen had, was de hitte al goed te voelen. Het ging een warme dag worden en Zakaria had het jasje van zijn Hugo Boss-pak al uitgedaan.

'Als we vandaag flink doorrijden komen we vanavond in Zuid-Spanje aan, slapen daar en pakken morgenmiddag de boot in Algeciras. Dan zijn we 's avonds in Rabat,' zei Nadir terwijl hij met zijn vinger over de kaart van Zuid-Frankrijk, langs Barcelona en Algeciras naar Rabat wees.

'Dus we zijn al over de helft!' zei Abdel, die intussen het secure werk van Zakaria gadesloeg.

'Nee,' zei Nadir, die zich afvroeg of hij überhaupt wel had geluisterd. 'Nee, we zijn nog niet eens voorbij Barcelona.'

'Oké, laten we snel gaan dan, ik rij als eerste,' zei Abdel, die er opeens de vaart in wilde zetten. Als Nadirs vader zou weten dat Abdel in de taxi zou rijden, zou hij waarschijnlijk een hartaanval krijgen, maar terugdenkend aan de eerste 900 kilometer die Nadir helemaal zelf had gereden, leek het hem zo'n slecht plan nog niet.

'Shotgun,' riep Zakaria, die daarmee de bijrijdersstoel claimde. Waarschijnlijk wist geen van de drie jongens dat de term nog uit het wilde westen stamde en Daltonsachtige personages postkoetsen overvielen waardoor er naast de koetsier altijd iemand zat met een doorgeladen shotgun. De jongens stapten in en reden weg.

8.

Net voor de afslag die ze moesten nemen om weer op de autoweg te komen, stond een meisje te liften. Ondanks het feit dat ze haar met tachtig kilometer per uur passeerden, was duidelijk te zien dat ze behoorlijk aantrekkelijk was. In haar handen hield ze een stuk karton waarop in blokletters met een dikke stift BARCELONA stond geschreven. Nadir, die achterin zat, zag haar en hoopte meteen dat Abdel en Zakaria haar niet hadden gezien.

Helaas, als het op vrouwen aankwam, ontging zijn vrienden niks. 'Wow… Zag je die chick?' riep Zakaria. Abdel knikte.

'Nee jongens, echt niet,' probeerde Nadir nog, maar Abdel had met een ruk aan het stuur de auto al op de vluchtstrook gezet. In de achteruitkijkspiegel zag Nadir dat het meisje haar tas pakte en richting de auto liep. Ze liep langzaam, en bestudeerde de oude taxi nauwkeurig. Nadir beweerde dat Abdel haar alleen wilde meenemen omdat ze lekker was, en Abdel vroeg vervolgens of hij soms alleen voor lifters met lange baarden en hakbijlen zou moeten stoppen. Intussen was het meisje bij de auto aanbeland en bestudeerde de drie jongens die erin zaten. Niets kon verhullen dat ze nogal schrok van de inzittenden en twijfel stond op haar gezicht.

Zakaria zei de jongens stil te zijn en ging een beetje patserig uit het raam hangen. 'Oké, dit is de deal, mijn vriend hier achterin is nogal bezorgd dus je moet ons beloven dat je ons niet verkracht, berooft of vermoordt,' zei hij in steenkolenengels, alsof hij het had geleerd van

Scarface zelf. Nadir vond het niet alleen een belachelijke opmerking, maar baalde er ook van dat hij weer als angsthaas werd neergezet. Het meisje wist niet zo goed wat ze hierop moest antwoorden, leunde naar voren en keek nog eens goed wie er op de achterbank zat. Nadir probeerde nog cool gedag te knikken, maar besefte halverwege al dat dit mislukt was. Hij zag dat ze er een beetje slordig uitzag, met een veel te grote sweater, haar haar in een staartje en een versleten spijkerbroek.

'Oké, maar dan moeten jullie dat mij ook beloven,' zei het meisje met een zwaar Frans accent.

'Echt, als we dat zouden willen, zouden we dan niet in een normale auto rondrijden?' zei Zakaria terwijl hij met gespreide armen op hun taxi wees.

'Waar gaan jullie heen?' vroeg ze.

'Naar Rabat via Algeciras, we komen praktisch langs Barcelona, dus we kunnen je wel een flink stuk meenemen.'

Het meisje keek om zich heen en leek te twijfelen. Zakaria zette zijn allerliefste gezicht op en keer haar indringend aan.

'De keus is aan jou, maar ik zou het wel weten. Het gaat namelijk nog wel een tijdje duren voordat er drie zulke knappe gasten als wij stoppen en je een lift aanbieden.' Het meisje keek hem aan en moest lachen.

Ze reden al op de snelweg toen Nadir besloot om wat tegen haar te zeggen. Ze zaten nu al een tijdje naast elkaar en al die tijd had ze uit het raam gekeken. Af en toe had Nadir naar haar gekeken en hij had gewacht op een manier om de ongemakkelijke stilte te verbreken. Abdel en Zakaria leken alweer vergeten te zijn dat ze iemand bij zich hadden, maar Nadir voelde zich een beetje met haar opgescheept. 'Ik ben Nadir,' zei hij. Met drie woorden was al duidelijk dat hij het beste Engels van de drie sprak. Een aantal van zijn boeken op het hbo waren in het Engels geweest, terwijl Abdel en Zakaria na 4-mavo vooral waren onderwezen door Al Pacino, Robert de Niro, Tupac en Biggie.

'Ik ben Julie,' zei ze. De manier waarop ze 'Julie' uitsprak deed hem denken aan de film *Amélie* die hij ooit gezien had. Hij wist niet meer hoe ze heette, maar de actrice had een enorme indruk op hem gemaakt. Van dichtbij zag Julie er minder slordig uit, haar gezicht was verfijnd en ze lachte eigenlijk heel ontwapenend.

'Je weet dat ik niet echt bang was, toch? Ik ben misschien was voorzichtiger. Je leest tegenwoordig de raarste dingen,' zei Nadir.

'Dat weet ik,' zei ze geruststellend. Even was het stil in de auto en nam Nadir de tijd om een goede nieuwe vraag te stellen.

'Waar kom je vandaan?' Het was misschien niet de allerbeste optie, maar voor de korte tijd die hij had was hij zeer tevreden.

'Uit Lyon,' zei ze. 'En jij?'

'Ik kom uit Holland. Amsterdam.' Dat leek haar wel tevreden te stellen.

'Heb je wel eens van Hatem ben Arfa gehoord?' zei Zakaria vanaf de bijrijdersstoel terwijl hij vol overgave op kauwgum kauwde.

'Nee,' zei het meisje, een beetje verward door die vraag.

'Dat is een heel goede Tunesische voetballer die vroeger bij Olympic Lyon voetbalde. Ik dacht, misschien ken je hem wel.'

Abdel keek zijn vriend ontzet aan.

'Ga haar alsjeblieft geen vragen stellen over Tunesisch voetbal. Voor zover dat al bestaat.' Zakaria keek woedend aan.

'Voor zover dat al bestaat? Ben je gek of zo?'

'Ben jij gek of zo?' antwoordde Abdel meteen. 'Wie heeft wie genakt in de Afrika Cup-finale 2004 dan? Wie?' Dat was de doodsteek voor deze discussie. Die wedstrijd hadden ze namelijk met alle jongens uit de buurt gekeken in een van de tenten van Abdels oom; 25 Marokkanen en 1 Tunesiër die naar de finale Tunesië-Marokko keken. Na negentig minuten was een dolgelukkige Tunesiër overgebleven. Die hele zomer had Zakaria dat Tunesië-shirt gedragen en niemand, maar dan ook niemand was er ooit nog op teruggekomen.

'Let maar niet op hen, zo zijn ze altijd,' zei Nadir om Julie op haar gemak te stellen en ervan te verzekeren dat ze niet bij een paar idioten was ingestapt. Maar Julie leek hem doodkalm, ze had een bepaalde rust over zich en een achteloosheid die Nadir niet gewend was van meisjes. Abdel zette de radio aan, waarop een ouderwets Frans nummer te horen was. Zodra Julie het nummer herkende, veerde ze op.

'O, dat is zo'n mooi liedje.'

Nadir luisterde naar het nummer, dat hij niet verstond en nog nooit had gehoord.

'Ja, ik vind dat ook een mooi nummer,' loog Zakaria overduidelijk.

'Oh ja?' vroeg Abdel hem, die nog een appeltje met hem te schillen had sinds de Afrika Cup-opmerking.

'Vind je dit ook een mooi nummer? Van wie is het dan? Of waar gaat het over?' vroeg hij in het Engels, zodat Julie het verstond.

'Hoe bedoel je waar gaat het over? Het is gewoon een liedje. Waar gaan liedjes over?' zei Zakaria zichtbaar uit balans gebracht door deze onder de gordel geplaatste vraag. Op de achterbank vroeg Nadir aan Julie waar het nummer over ging.

'Gewoon, over een jongen en een meisje. Het nummer doet me aan mijn moeder denken, zij draaide het altijd toen ik klein was,' antwoordde ze.

'Ja,' zei Zakaria terwijl hij Julie instemmend aankeek, 'precies dat.'

Nadir kon er wel om lachen, Abdel zette de radio harder en schakelde nog een tandje bij. De auto vloog met de souplesse van een Braziliaanse spits over de Franse wegen. Terwijl ze naar Franse muziek luisterden, passeerden ze groene valleien en velden met balen hooi. Het was opmerkelijk hoezeer het landschap was veranderd ten opzichte van de dag ervoor. Met in de verte de Pyreneeën reden ze langs robuuste fabrieken. De lucht was strakblauw. Aan hun linkerhand dook de Côte d'Azur op. Af en toe haalden ze een volgepakt tweedehands busje in, standaard zaten er voorin hele Noord-Afrikaanse gezinnen die net als zij zo snel mogelijk naar het zuiden wilden. Op een bord stond *Barcelone 350 km* en Nadir zag dat Julie glimlachte.

DEEL 4: SPANJE

9.

Net nadat ze de Spaanse grens waren gepasseerd, stopten ze om in een wegrestaurantje een broodje te eten. Het was een simpele tent, met houten tafeltjes langs de grote ramen, die uitzicht boden op een weg die zowel links als rechts niet leek te eindigen. De rest van het interieur was zo Spaans als maar kon. Veel donker gelakt hout, witte tafelkleden en een paar schilderijen met Bijbelse taferelen. Aan de bar hingen een paar oude mannen. Aan het plafond hingen grote stukken ham, waaruit langzaam druppels vet drupte in een speciaal plastic bakje. Op de gokkast en de poster van het Spaanse voetbalelftal nét voor de WK-finale 2010 na, had de tijd er vijftig jaar stilgestaan.

Aan één kant zaten Zakaria en Nadir, met tegenover hen Abdel en Julie. Toen de ober hun bestelling kwam opnemen, deed Julie de hare in perfect Spaans.

'Dus je spreekt Spaans,' merkte Nadir op toen de ober weg was.

'Ja, ik heb een jaar in Barcelona gestudeerd.'

Zakaria schoof naar voren en keek haar weer indringend aan. 'Barcelona? Hoe is Barcelona?' vroeg hij. Nadir vond dat hij weer lekker overdreven deed en Abdel was met al zijn aandacht bezig om uit te zoeken hoe het kleine servettenapparaatje werkte.

'Barcelona is een van de mooiste steden van de wereld, denk ik. Ben je er wel eens geweest?'

Zakaria deed alsof hij daar even over na moest denken en zei ten slotte nee. 'Ik heb er nog veel vrienden wonen, die ik elk halfjaar wel probeer op te zoeken,' zei Julie.

'Dat is cool,' antwoordde Nadir. 'Hoe lang blijf je in Barcelona?' vroeg hij vervolgens.

'Dat weet ik eigenlijk nog niet,' zei ze een beetje ongemakkelijk, waarna ze meteen van onderwerp veranderde. 'Gaan jullie echt naar Rabat?'

'Natuurlijk, Nadir moet die oude taxi daar afzetten en wij houden hem gezelschap,' zei Abdel trots.

'Oh, dat is wel lief van jullie, jullie zijn vast heel goede vrienden dan.'

'Ja, we kennen elkaar al zeventien jaar, komen uit de zelfde buurt en alles,' zei Zakaria onbedoeld een beetje nors.

'En nu zijn jullie samen op vakantie,' zei ze, zichtbaar onder de indruk van zo'n sterke vriendschap.

'Dit is geen vakantie,' zei Nadir weer, 'sterker nog, ze waren niet eens uitgenodigd, ze zijn maar gewoon meegekomen.' Uit zijn stem klonk een lichte irritatie.

Abdel lachte gegeneerd, terwijl Julie Nadir verbaasd aankeek.

'Nee hoor, hij maakt een grapje,' zei Abdel. Een geslaagd grapje, want Julie lachte.

Terwijl ze voor het restaurant de brede weg overstaken, vroeg Zakaria precies wat Nadir al vreesde.

'Hé, we kunnen haar toch gewoon naar Barcelona brengen?' Nadir zei meteen 'nee', terwijl Abdel hem nu ook hoopvol aankeek.

'Waarom niet? We komen er langs, kunnen we haar toch afzetten en een rondje lopen daar?'

'Er is gewoon geen tijd voor,' zei Nadir streng. Zakaria gaf echter niet zo makkelijk op.

'Dus we rijden gewoon langs een van de mooiste steden van de wereld? Is een van jullie er wel eens geweest?' Onmiddellijk riep Abdel 'nee'. Als Nadir niet beter zou weten, zou hij zweren dat ze dit hadden afgesproken.

'Ik ben mijn hele fucking leven alleen nog maar in Tunesië geweest. Bij mijn oma, in het dorp.' Zakaria bleef midden op de weg staan en blokkeerde Nadirs pad.

'We waren net in Frankrijk en wat hebben we gezien? Een supermarkt, een gevangenishotel, een Turkse pizzeria. Kom op man.' Nadir zuchtte diep en dacht na. Of het nou het verhaal van Zakaria was, waarvan hij wist dat het eigenlijk voor hen allemaal gold, of de warme middagzon op zijn hoofd, of het feit dat de weg langer leek te worden naarmate ze dichter bij Rabat kwamen, maar geheel tegen ieders verwachting in hield hij zijn hand voor Zakaria's gezicht en stak twee vingers op. 'Twee uurtjes. We zetten haar af, lopen twee uurtjes rond en *safi*.' Zakaria keek hem glunderend aan en ook Abdel kon zijn vreugde niet onderdrukken.

Nadir vervolgde op zijn bekende belerende toon: 'Maar weet dat we daarna als gekken moeten doorrijden, Algeciras ligt iets van duizend kilometer van Barcelona en ik wil daar vannacht nog aankomen, ja?' Terwijl ze naar de auto liepen, gaf Abdel een vrij magere vertolking van 'Barcelona' – het *anthem* van de Olympische Spelen in 1992. Nadir was er vrij zeker van dat hij de melodie door de war haalde met die van het themalied van de Champions League, maar hij besloot er niets van te zeggen.

10.

Op zo'n 150 kilometer van Barcelona vroeg Abdel aan Julie waar ze moest zijn in de stad, omdat ze er zelf toch nog even naartoe wilden.

'In El Born, een wijkje in het centrum, maar het feest waar ik naartoe ga begint pas heel laat, het is namelijk een surpriseparty voor een vriend,' zei ze. 'Als jullie willen kan ik jullie gids wel zijn in Barcelona, als een bedankje voor de lift.' Dat klonk iedereen wel goed in de oren.

Al bij het inrijden van de stad keken de jongens hun ogen uit. Er hing een soort rode gloed over de stad, die vanwege het zomerseizoen barstte van de toeristen. Vanaf de plek waar ze parkeerden, voerde Julie ze direct oude binnenstad in met zijn mooie, eeuwenoude gebouwen. Bij een klein winkeltje kocht Zakaria een wegwerpcamera waar hij af en toe foto's mee maakte op heel toeristische plekjes. 'Kodak-momentje,' zei hij dan, voordat hij iedereen op zijn plek zette en een foto maakte. In de buurt van Plaça de Catalunya bleef Abdels oog hangen op een gigantische FC-Barcelona winkel. De Ramblas, misschien wel de bekendste straat van de stad, was vol met toeristen, terrasjes en allerhande goochelaars en menselijke standbeelden.

Ze sloegen rechtsaf en kwamen terecht in een grote overdekte markt. In de kleine maar bomvolle stalletjes werd voornamelijk vlees, ham en fruit verkocht. Bij een van de tientallen felverlichte en met fruit overladen kraampjes dronken ze een sapje. Nadir vond het leuk om te zien hoe Julie zich door deze stad begaf alsof ze er altijd had gewoond. Over elk plein of gebouw had ze wel wat te vertellen: wie er ooit gewoond had, wie de architect was geweest of wanneer het gebouwd was – verhalen waar eigenlijk alleen hij naar luisterde. Abdel en Zakaria hadden in het begin nog wel gedaan alsof ze geïnteresseerd waren, maar konden zelfs dat na een tijdje niet meer opbrengen. Het gebeurde dan ook een paar keer dat Nadir midden in een verhaal van Julie achter zich keek en Abdel en Zakaria zag die tegen een of andere Zweedse touriste stonden te liegen dat ook zij als geboren Catalanen tours gaven. Na een terrasje bezocht te hebben besloten ze naar Parc Guell te gaan. Abdel wilde liever naar het Nou Camp-stadion, maar Julie had hem ervan weten te overtuigen dat daar op een doordeweekse middag niets te doen was en dat het stadion goed zichtbaar was vanaf het hoogste punt van het park.

Nadir wist dat de twee uur die ze hadden afgesproken al lang voorbij waren, maar hij weigerde simpelweg op zijn horloge te kijken. Het park was misschien wel een van de mooiste plekken die Nadir ooit had gezien. Julie vertelde hem dat Gaudí, de wereldberoemde architect die het had ontworpen, in een armenziekenhuis was gestorven, al kon je het nauwelijks een ziekenhuis noemen. De architect was aangereden door een tram tijdens een middagwandeling, maar vanwege zijn smoezelige kleding wilde geen enkele taxi hem meenemen. Uiteindelijk had de politie de bewusteloze man maar naar een armenziekenhuis gebracht. Vrienden en kennissen waren hem gaan zoeken nadat hij niet op zijn werk was gekomen. Toen ze hem vonden, weigerde hij zich te laten verplaatsen naar een fatsoenlijk ziekenhuis en hij zei dat zijn plek bij de armen was. Niet veel later was hij daar aan zijn verwondingen gestorven.

Op het hoogste punt van het park keek je over de hele stad uit en gingen ze even zitten. De zon ging bijna onder en uit de stad steeg een massief geluid op van auto's, sirenes en alle andere geluiden die vier miljoen mensen maakten op weg naar hun avondmaal. Achter de gigantische stad lag de zee. Het leek wel een satellietbeeld – een uitzicht om even stil van te zijn, en dat waren ze ook.

'Wat doen jullie eigenlijk in Nederland?' vroeg Julie na een tijdje.

'Ik heb net een studie economie afgerond en doe nu even niets,' zei Nadir enigszins trots.

'Ik werk in het restaurant van mijn oom,' zei Abdel.

'Restaurant? Noem je dat een restaurant?' vroeg Zakaria spottend.

'Het is een *shoarma*restaurant, we verkopen shoarma en döner en je kunt er zitten. Mijn oom heeft vier zaken.'

Nadir was ervan overtuigd dat de woorden 'shoarma' en 'restaurant' nog nooit eerder samengevoegd waren tot shoarmarestaurant. Julie beweerde een groot fan van shoarma te zijn, iets wat Nadir nauwelijks kon geloven.

'En jij?' vroeg ze aan Zakaria. 'Ik hou van dat spul, ik krijg het meestal voor niks als hij werkt,' zei hij terwijl hij naar Abdel wees. Julie lachte. 'Nee, wat dóé jij?' Zakaria gaf haar zijn charmante blik.

'Oh, niks. Ik ben even *in between jobs* zoals ze dat noemen, ik werk een beetje hier en een beetje daar. Ik red me wel.' Julie vond dit maar een raar antwoord.

'Binnenkort openen we met z'n drieën een eigen zaak,' zei Abdel voordat ze iets aan Zakaria kon vragen.

'Oh, wat voor zaak dan?' vroeg ze geïnteresseerd. Terwijl ze Abdel aankeek, zag hij op de achtergrond dat Nadir gebaarde dat hij maar niet meer moest vertellen. Julie merkte dit en draaide zich om naar Nadir, die onmiddellijk stopte met gebaren maken.

'Het is nogal een revolutionair concept, dus ik kan er nog niet echt iets over vertellen,' zei Abdel toen maar. Dat begreep ze wel.

'En jij?' vroeg Nadir, 'wat doe jij dan?'

Alsof ze verrast was door deze vraag keek ze even naar haar schoenen. 'Ik heb net mijn tweede jaar kunstgeschiedenis gehaald, nog twee jaar te gaan dus,' zei ze een beetje voorzichtig.

'Kunstgeschiedenis, zit daar een beetje geld in? Echt geld?' vroeg Abdel meteen.

'Nou ja, niet echt eigenlijk. Je kunt in een museum gaan werken, of lesgeven op een middelbare school. Maar ik weet nog niet of ik dat wel wil.'

Abdel was bij 'niet echt eigenlijk' al afgehaakt, maar Nadir keek haar begripvol aan.

Even leek Julie in gedachten verzonken te zijn, maar al snel herpakte ze zich en gaf het gesprek een andere impuls. 'Ik weet dat jullie haast hebben, maar eigenlijk zouden jullie even mee moeten gaan naar dat feest.'

De jongens keken elkaar aan en Nadir knikte. Rabat moest nog maar even wachten.

11.

Het feestje was op vier hoog midden in de oude wijk El Born. El Born was het best te vergelijken met de Jordaan in Amsterdam, dacht Nadir. Oude en slecht onderhouden huizen die deels bewoond werden door de oorspronkelijke arbeidersklasse en deels door jonge yuppen die op de stadse locatie en oprechte folklore afkwamen. Meer Barcelona dan dat werd het niet. Naast een hip kledingwinkeltje zat een ouderwetse bakker, die er al zat zolang de mensen zich konden herinneren. Het nauwe en geel verlichte trappenhuis deed vermoeden dat het om een klein appartement ging, en dat bleek te kloppen.

Zodra de jongens onder leiding van Julie binnentraden, leek het of het feestje even stilviel en alle ogen op de jongens waren gericht. Er waren misschien maar twintig mensen, maar in de kleine ruimte leek het heel wat. Schuchter groette Nadir een aantal mensen, en besefte zich dat ze op dit studentikoze en voornamelijk door mannen bezochte feest als drie Noord-Afrikanen een beetje de vreemde eend in de bijt waren. De vrouwen die er waren, droegen tuinbroeken en brillen met grote monturen onder hun kort gekapte haar. Een van de mensen – waarschijnlijk degene die het feest gaf – kwam naar voren. Zowel Nadir als Zakaria en Abdel vermoedde direct dat deze jongen gay was – een te vrouwelijk loopje, een te modebewuste *look* en een te rechte scheiding in zijn haar. Als klap op de vuurpijl schreeuwde hij het werkelijk uit toen hij Julie zag en hij gaf haar een hysterische knuffel.

'Oh, je hebt het gehaald, Raul gaat dit zo fantastisch vinden!' zei hij met een zwaar Spaans accent. De drie jongens keken elkaar verbaasd aan.

'Raul?' Dit had Julie wel even mogen melden.

'Dit zijn mijn vrienden, Nadir, Abdel en Zakaria,' zei ze tegen haar vriend. Nadir vond het sexy hoe ze hun namen met een Franse klank uitsprak. Bij Nadir en Abdel legde ze de klemtoon verkeerd en Zakaria sprak ze gewoon uit als Zakerie, waardoor het op 'Sarkozy' leek. Abdel wees Nadir op wat foto's die aan de muur bij de deur hingen. Het waren van die typische stelletjesfoto's: op het strand, op een feestje en in een restaurantje. Op alle foto's stond hun gastheer samen met een andere gozer. Abdel trok er een vies gezicht bij.

'Paco,' zei de jongen terwijl hij zijn hand uitstak naar Nadir, die al sinds ze binnen waren gekomen naast Julie stond. Om beurten stelden de drie jongens zich voor. Nadir haalde het doosje met dadels tevoorschijn en gaf het aan Paco; het bruine pakpapier zat er nog steeds netjes omheen. Nadat hij het had opengemaakt en had gezien wat erin zat, zei hij verbaasd: 'Dadels.'

'Het zijn heel speciale dadels, ze komen uit Algerije,' zei Nadir.

'Oké,' zei de jongen. 'Hebben jullie ze meegenomen uit Algerije?'

Nadir moest lachen. 'Nee, we hebben ze in Frankrijk gekregen van een man die we daar hebben ontmoet.'

Abdel keek Zakaria hoofdschuddend aan. 'Mooi, nu klinkt het alsof we die mensen hier tweedehands dadels geven.' Paco dacht even na en zei dat hij precies wist wat hij met die dadels moest doen.

Omdat de jarige nog moest komen, waren de laatste voorbereidingen nog in volle gang. Nadir hielp Julie met het ophangen van wat slingers terwijl Abdel en Zakaria een beetje door het appartement struinden. Van de huiskamer kwamen ze op het ruime balkon. Vanaf hier had je een mooi uitzicht over de daken van de buurt en keek je zo de straat in. De huizen aan de overkant, die ook viezig en slecht onderhouden waren, stonden op maar enkele meters van hun balkon en ze konden zo een heel gezin aan tafel zien zitten. Als er in een normale Nederlandse buurt zo'n huis met al dat wasgoed buiten had gestaan, zou het binnen de kortste keren worden afgebroken. Hier waren alle huizen zo en creëerden ze een authentiek sfeertje. Op het balkon zaten een beetje hetzelfde soort figuren als binnen, van die alternatieve, shag rokende nichten en potten. Omdat de jongens honger kregen, besloten ze richting de keuken te gaan en iets te eten te zoeken. Daar troffen ze Paco aan, die net in de weer was met hun dadels. Hij sneed ze open, deed er een stukje salami in en wikkelde er vervolgens ham omheen.

'Taz, als je deze in een pistool laadt kun je er moslims mee doodschieten,' zei Abdel tegen Zakaria, die daar hard om moest lachen.

'Willen jullie anders nog wat ballonnen opblazen?' zei Paco tegen de jongens en zonder op hun antwoord te wachten gaf hij hun een zakje met ballonnen en liep weg met de plank met dadels. Terwijl de jongens alleen in de keuken stonden en de eerste ballonnen opbliezen, tikte Zakaria Abdel opeens aan en wees naar iets wat op het aanrecht lag. Daar, half onder een vaatdoek, lag een splinternieuwe iPod. Zakaria keek zijn vriend met een veelbetekenende blik aan, waarop Abdel vanuit de keuken de kamer inkeek. Daar zag hij net Nadir bezig een slinger op te hangen, die, zodra hij hem losliet, steeds weer viel. Aan de andere kant van de slinger stond Julie, die haar lachen niet kon inhouden.

'Doe maar niet,' zei Abdel zachtjes. Zakaria keek hem teleurgesteld aan.

In de huiskamer was rumoer ontstaan omdat iemand vanaf het balkon Raul aan het einde van de straat zag aankomen. Meteen gingen alle lichten uit en stelden de feestgangers zich verdekt op achter in de ruimte. In het gedrang was Julie vlak voor Nadir gaan staan, en even raakte haar hand de zijne. Omdat beiden daar niet van schrokken, bleven ze even zo hangen, totdat Nadir haar hand vastpakte. 'Ze ruikt naar de zomer', dacht hij bij zichzelf. In het donker was er gelach en gegrinnik, maar toen ze iemand de trap op hoorden komen, werd het muisstil in de kamer. Sleutels werden uit een tas gehaald en in de deur gestoken. De deur ging open en uit het licht van de gang kwam een donkere gestalte naar binnen. Na twee stappen gingen de lichten aan en begon iedereen te zingen. Het was een Spaanse versie van 'Lang zal hij leven', dus Nadir neuriede voor de vorm maar wat mee. Raul, een wat jonger ogende en tengere Spaanse jongen, wist niet wat hij zag toen Paco hem om de hals vloog en hartstochtelijk begon te zoenen. Abdel en Zakaria keken elkaar aan.

Julie ontfermde zich over Nadir en in de uren die volgden werd hij aan bijna iedereen op het feestje voorgesteld. Hij kreeg zoveel glazen wijn en rum aangeboden dat hij er op een gegeven moment maar van was gaan drinken. Wel tien keer had hij aan de vaak slecht Engels sprekende mensen het verhaal verteld over de taxi en Rabat. Iedereen vond het fantastisch.

Abdel en Zakaria hielden zich wat afzijdig. Ze hadden een strate-gische positie ingenomen bij de tafel met de drank en hapjes, alwaar Abdel de hand op een fles Havana Club had weten te leggen en steeds minder cola bij hun mixjes deed. Ze hadden al een tijdje alleen maar met elkaar gepraat toen opeens Raul, halfleunend op een vriend van hem, bij hen kwam staan.

'Ik hoorde dat jullie Julie helemaal vanuit Lyon hebben gebracht, dat is aardig. Julie is een van mijn beste vrienden weet je. Iedereen vindt jullie echt schatjes.'

Zakaria, die tegen de muur leunde, probeerde zowaar nog wat meer naar achteren te stappen terwijl Abdel naar het juiste antwoord zocht.

'Ja, Julie is een leuk meisje ja.' De vriend van de jarige, die tot nu toe alleen nog maar naar de jongens had gekeken, fluisterde iets in Rauls oor, waardoor deze op een beetje ondeugende manier moest grijnsen. Zakaria keek er vies bij en Abdel probeerde terug te lachen.

'Oké, have fun,' zei Raul, waarna hij gearmd met zijn kameraad richting de keuken liep, waar nog meer mensen stonden.

'Volgens mij wil ik echt niet weten wat die gast tegen hem zei,' zei Abdel tegen Zakaria, die in één teug zijn glas leegdronk.

'Ik zweer het je, als een van die flikkers me aanraakt vriend, *rwina*!'

Terwijl Abdel hierom moest lachen, viel zijn oog op Nadir, die even verderop druk in gesprek was met een paar mensen. Julie kwam naast hem staan met een fles wijn en schonk iedereen – inclusief Nadir – bij.

'Is hij nou wijn aan het drinken?' zei Abdel verbaasd.

Zakaria keek nu ook en zag dat Nadir een slok nam. 'Echt hè! Als deze man zo doorgaat, komen we nooit in Rabat.'

Abdel leek minder negatief. 'Laat hem maar, dit is misschien wel eens goed voor hem.' Nadir keek hun kant op en zag dat ze keken. Hij kwam met opgewonden stappen op hen afgelopen.

'Een paar mensen gaan nog naar een soort van club en ik heb gezegd dat we wel meegaan.'

Abdel wist niet wat hij hoorde, dit was wel het laatste wat hij had verwacht.

'Maak je een grapje? Ik dacht dat we haast hadden?' zei hij.

Nadir, die zichtbaar een beetje aangeschoten was, keek op zijn horloge. 'Ach, weet je wat het is? Het is nu toch te laat om nog te rijden. Er zit hier in de straat een goedkoop hostel, als we morgenvroeg gewoon rijden zodra het licht wordt, halen we die laatste boot makkelijk.'

'Als jij het zegt,' zei Abdel. Nadir knikte en wilde teruglopen naar het groepje van Julie, maar werd na drie stappen al teruggeroepen door Abdel.

'Wat voor soort club is het eigenlijk?'

'Hoe bedoel je?' vroeg Nadir. 'Het is gewoon een club. Abdel kwam wat dichterbij.

'Maar wát voor soort club is het?' zei hij terwijl hij met nadruk mysterieus keek bij het 'wat'. Nadir keek hem aan alsof hij hem niet begreep.

'Of het een homoclub is, bezem. Met homomuziek, homodrankjes en heel veel homo's vooral,' zei Zakaria hard en nogal nors. Nadir keek beschaamd om zich heen.

'Nee man. Natuurlijk niet.' Even dacht hij na en de jongens zagen aan hem dat hij het helemaal niet gevraagd had.

'Ik check het even,' zei hij, waarna hij weer richting Julie liep en iets in haar oor fluisterde. Julie schudde met gespeelde verontwaardiging nee en keek daarna naar de jongens.

12.

In de rij voor de club kon je de gedempte dreunende beats van binnen al horen. De entree van de club was een grote poort van een oud industrieel gebouw, zoals er in deze buurt vele stonden. Julie was druk aan de praat met Paco en zijn vrienden, en Nadir, Zakaria en Abdel stonden een beetje afwachtend achter het Spaanse groepje.

'Wat voor muziek draaien ze hier denk je?' zei Abdel.

'Tribal house,' zei Zakaria beslist. Abdel en Nadir keken hem verbaasd aan.

'Met van die trommels en zo.'

Ze deden een stapje naar voren.

'Hoe weet je dat?' vroeg Abdel achterdochtig.

'Gewoon, ergens gelezen,' zei Zakaria nonchalant. Iedereen in de rij deed weer een paar stappen vooruit.

'Waar dan?' vroeg Abdel cynisch, omdat hij Zakaria nog nooit een boek had zien vasthouden.

'Oh nee, ik heb het op tv gezien, bij dat reisprogramma van die ene flikker.' Nadir keek Zakaria aan met een blik vol onbegrip; soms kon hij deze jongen echt totaal niet volgen. Intussen stonden ze vooraan de rij en Julie en haar vrienden liepen net naar binnen. Abdel wilde erachteraan lopen, maar voelde de hand van de ontzagwekkend brede uitsmijter tegen zijn borst. Hij zei iets in het Spaans, wat geen van de drie jongens begreep.

'Sorry meneer, we spreken geen Spaans,' zei Nadir in het Engels.

'Geen sportschoenen,' blafte de uitsmijter nu in zijn beste maar nauwelijks verstaanbare Engels terwijl hij naar hun schoenen wees.

'We zijn met die anderen meegekomen. Ze dragen allemaal sportschoenen.' Nadir had dit al tientallen keren meegemaakt, maar had er op de een of andere manier, nu ze in Barcelona waren, niet aan gedacht.

'Het is een besloten avond,' zei de uitsmijter nu arrogant terwijl hij de jongens de rij uit keek. Zakaria, die opmerkelijk stil was geweest, had al geen zin meer om naar binnen te gaan.

'Fuck deze kankerlijer, kom we gaan.' Abdel en Nadir zagen ook geen andere optie en liepen maar achter hem aan. Na twee stappen hoorden ze de stem van Paco, die hen terugriep. Hij was verwikkeld in een Spaanse discussie met de portier, die hij blijkbaar kende; de jongens verstonden alleen 'amigos' en 'olanda' en het was duidelijk dat de portier daarna Paco aansprakelijk hield voor eventuele rotzooi die de jongens zouden maken. Terwijl ze naar binnen liepen, wisselden Zakaria en de portier enkele vuile blikken uit en verontschuldigde Paco zich voor het gedrag van de portier.

Eenmaal binnen haalde Paco wat drankjes voor de jongens en leek het incident snel vergeten. De club was niet al te groot en stond vol met mensen die dansten alsof hun leven ervan afhing. Er werd inderdaad een soort house gedraaid met trommels, zoals Zakaria had verwacht, en al snel stonden hij en Abdel – ook wel onder invloed van de alcohol die ze hele avond hadden gedronken – flink te dansen op de muziek. Nadir was een beetje bij de bar blijven hangen. Van een afstand zag hij dat Abdel een sigaret kreeg van Paco en hem daarvoor vriendelijk bedankte terwijl ze beiden bleven bewegen op het ritme van de muziek. Nadir vond het grappig om zijn vrienden zo te zien, hij had hen nog nooit op dit soort muziek zien dansen en het zag er, aan hun onwennige bewegingen te zien, ook niet naar uit alsof dat ze dat wel eens hadden gedaan. Hij kon zich niet voorstellen dat ze dit thuis zouden doen, laat staan dat ze lachend en drinkend in een club zouden staan met een paar homoseksuelen.

'Laat me raden, jij bent niet echt een danser?' zei Julie, die naast hem was komen staan.

'Nee, niet echt nee,' zei Nadir enigszins betrapt. In het gelige licht van de bar zag ze er echt vreselijk mooi uit. Even was het stil en Nadir begreep dat het zijn beurt was om een vraag te stellen.

'Wat is eigenlijk je favoriete schilderij?' vroeg hij plompverloren. Julie keek hem verbaasd aan.

'Je vindt het een domme vraag hè?' zei Nadir lachend.

'Nee, helemaal niet. Het is alleen een lastige vraag. Mag ik er ook twee uitkiezen?' zei ze.

'Nee,' zei Nadir zogenaamd streng. Julie dacht hard na.

'Dan moet ik zeggen *Guernica* van Picasso.'

'Hm,' knikte Nadir.

'Ken je het?' vroeg Julie.

Nadir moest eerlijk bekennen van niet. 'Wat is er zo mooi aan dan?' vroeg hij.

'Ik weet het niet. Het is zo groot en er gebeuren zoveel dingen in. Je kunt er makkelijk een paar uur naar kijken, het is net een film.'

Nadir keek haar aan en zag dat ze het echt meende.

'Wat is jouw favoriete schilderij dan?' vroeg ze op haar beurt.

Nadir deed even of hij over deze vraag nadacht, maar moest toen toegeven dat hij er eigenlijk geen had.

'Wat is dan je favoriete film?' zei ze, waarbij Nadir zich afvroeg of ze dat zei om hem tegemoet te komen of omdat ze dat echt wilde weten. Het was trouwens allebei wel lief. 'Dat is makkelijk. *The Godfather.* Beste film ooit gemaakt,' zei hij vol overtuiging.

'Dat is ook mijn favoriete film,' zei ze op haar beurt.

Nu wist hij zéker dat ze dat zei om hem tegemoet te komen.

'Dat zeg je maar,' zei hij.

'Nee! Waarom zou ik dat doen? Ik heb die film wel tien keer gezien. Vraag me maar eens iets, wat dan ook.'

Nadir dacht even na, hij zou haar iets vragen wat alleen kenners zoals hijzelf zouden weten.

'Hoe heet de *hitman* die werkt voor Don Corleone?' vroeg hij trots.

Julie keek hem aan alsof hij had gevraagd wat de hoofdstad van Frankrijk was. Ze hief haar kin naar hem en maakte met haar rechterhand een typisch Italiaans maffiagebaar. Hierna zei ze met een lage gebarsten stem: 'Luca Brazi.'

Nadir was onder de indruk.

Toen Nadir en Julie samen de club uit liepen, troffen ze daar Abdel en Zakaria aan, die een sigaretje aan het roken waren en even wilden afkoelen. Betrapt keek Nadir hen aan. 'We konden jullie al nergens meer vinden,' zei hij.

'Ik had Nadir beloofd hem nog de haven laten zien, het is er zo mooi 's avonds… Hebben jullie anders zin om mee te gaan?' vroeg Julie aan Abdel en Zakaria.

Het was vrij duidelijk dat het beter was dat ze niet meegingen, dus Abdel zei een beetje cynisch: 'Nee, gaan jullie maar, wij wilden sowieso nog wat gaan dansen.'

'Weet je het zeker?' vroeg Nadir nog voor de zekerheid.

'Ja, we weten het zeker,' zei Abdel, met een grijns op z'n gezicht.

'Oké, dan zie ik jullie later bij het hostel, jullie weten toch waar het is?'

'Ja, ja. Ga nu maar.'

Het was een kleine tien minuten lopen. De stad, die vanmiddag nog zo druk was geweest, lag er nu leeg en stil bij. Onderweg stopten ze bij een Chinese nachtwinkel, waar Nadir een paar ijsjes kocht die hem deden denken aan zijn jeugd.

'Ik heb deze ijsjes al zeker tien jaar niet meer gezien,' zei Julie terwijl ze een hapje nam van haar trechtervormige ijsje en daarmee weer een stap dichter bij de kauwgombal onderin kwam.

'Het probleem is dat je niet weet of ze die ijsjes nog steeds hadden of dat ze weer terug zijn,' zei Nadir.

'Wat is het verschil dan?' vroeg Julie terwijl ze hem met haar grote ogen aankeek.

Ze zaten op een bankje in het oude haventje en keken naar de lichtjes aan de horizon. Af en toe kwam er een boot voorbij, die stilaan wegtrok uit de eeuwenoude stad.

'Nou, als je morgenvroeg wakker wordt en het eerste wat je doet is overgeven, dan weet je dat die ijsjes daar al tien jaar lagen. Zo niet, dan zijn ze weer terug,' zei Nadir droog. Julie lachte en terwijl ze dat deed, zag hij wat hem al eerder was opgevallen: dat ze soms een beetje loenst met haar rechteroog. Hij had het in de auto opgemerkt, maar het leek hem niet gepast om dat zomaar tegen een vreemde te zeggen. Alhoewel, een vreemde… ze hadden uit hetzelfde glas gedronken en hij had haar beste gay-vriend ontmoet. Zo vreemd waren ze al niet meer van elkaar.

'Waarom weet je eigenlijk nog niet hoe lang je hier blijft?' vroeg Nadir brutaal terwijl ze even later door het nachtelijke en haast uitgestorven El Born liepen. Nadir vond de stad nu nog mooier, ergens deed hij hem aan Casablanca denken, waar hij een paar jaar geleden een dagje met zijn ouders was geweest.

'Omdat ik eigenlijk niets heb om voor terug te gaan,' zei ze.

'En school dan?' Ze liepen zo langzaam, dat het eigenlijk meer slenteren was.

'Het is niks voor mij, denk ik. Ik heb helemaal geen zin om nog eens twee jaar naar oude schilderijen te kijken van mensen die allang dood zijn, om daarna de rest van mijn leven in een museum te werken. Ik wil iets doen met mijn leven. Echt iets betekenen voor mensen.'

Nadir had die twijfel eigenlijk al in haar stem gehoord, vanmiddag op de bergtop.

'Zoals wat?' vroeg hij haar.

'Ik weet het niet,' zei ze. 'Wat ik wel weet, is dat ik over twintig jaar niet wakker wil worden met spijt dat ik niks met mijn leven heb gedaan. Te veel mensen doen dat al.'

Nadir knikte en snapte wel wat ze bedoelde.

'Wat als de wereld nu verging, en ik en vijftig andere mensen zouden alles opnieuw moeten opbouwen? Wat zou ik dan kunnen doen? Ik zou mazzel hebben als iemand ergens een paar halfverbrande schilderijen zou vinden,' zei ze. Nadir vond dat ze daarmee zichzelf en haar toekomstige beroep wel een beetje te kort deed.

'Dat geldt ook voor mij, wat zou ik kunnen doen dan?'

'Jullie zouden gewoon je revolutionaire restaurant kunnen beginnen, dat is dan het enige op de planeet en zeker een succes.' Nadir kon daar wel om lachen. Hij keek om zich heen en genoot van het moment.

'Ik moet je trouwens nog bedanken voor vandaag. Het was echt een leuke dag,' zei hij.

'Ik moet jou eerder bedanken voor de lift. Je zou dit soort dingen vaker moeten doen.'

Nadir keek haar aan, zelfs na een hele dag kon hij niet wennen aan haar sexy Franse accent.

'Wat voor soort dingen?'

'Gewoon, dingen die je niet gepland had, dat zijn vaak de leukste dingen.'

'Ik weet het,' zei Nadir. 'Maar ik ben gewoon niet zo'n soort iemand.'

Julie keek hem aan. 'Natuurlijk wel, kijk maar naar vandaag. Je had al lang weg kunnen zijn, maar je bent hier nog steeds.'

Plotseling stopte ze met lopen en keek omhoog naar een van de huizen. Zonder dat hij het door had, waren ze alweer voor het huis van Paco aanbeland.

'Wil je nog mee naar boven voor een kopje thee?' zei Julie, alsof ze de daad bij het woord wilde voegen nadat ze het net over spontane acties had gehad.

13.

Toen ze het licht in de huiskamer aandeden, troffen ze een puinhoop aan. Ze deden zachtjes, want Paco en Raul lagen al in bed. Nadir hoopte maar dat ze sliepen. Terwijl Julie in de keuken bezig was, liep hij door naar het balkon en keek uit over de lege straat.

'Ik kan de thee niet vinden,' zei Julie, die nu ook tegen de balustrade van het balkon kwam staan.

'Het is oké, ik had toch geen dorst,' zei Nadir. Julie leunde naar voren en zoende hem vol op de mond. Ze zoenden een moment lang, totdat Nadir leek te beseffen wat er gebeurde.

'Sorry, dat kan ik niet doen, denk ik.'

Julie keek hem onzeker aan. 'Waarom niet?'

Nadir dacht na en keek even om zich heen. Hij had zichzelf behoorlijk in de problemen gebracht. Zo graag als hij de hele dag juist hier met haar had willen zijn, zou hij nu liever níét hier met haar zijn. 'Het is moeilijk uit te leggen.'

Julie wilde het daar niet bij laten. 'Probeer het gewoon.'

Nadir twijfelde en keek de straat in. Als ze het zo graag wilde weten zou hij het haar ook zeggen ook. 'Weet je wat die oude taxi is waarin we hier naartoe zijn gereden?'

'Nee,' zei Julie.

'Het is een cadeau van mijn vader aan een van zijn oudste vrienden. En nu heeft die vriend toevallig een dochter die net achttien is geworden,' zei hij koeltjes.

'Is dat je vriendin?'

'Nee,' zei Nadir, 'ik heb haar nog nooit ontmoet, maar dat gaat wel gebeuren en als alles goed gaat, zal ik me met haar verloven.' Zo, dat was eruit, dacht Nadir, ergens voelde het wel als een opluchting.

'Moet je met haar trouwen dan?' vroeg de Française bezorgd.

'Nee, dat hoeft niet, maar ze schijnt wel een goede vrouw te zijn en mijn vader is lang bezig geweest met de afspraken.'

'En wat vinden Abdel en Zakaria daar dan van?' Daar had je weer dat Franse 'Zakerie'. In die ene dag die ze nu met die twee jongens had doorgebracht had ze goed opgemerkt dat zij hun vriend niet zonder slag of stoot zouden laten trouwen met zomaar iemand.

'Dat is het fucked up gedeelte van dit verhaal. Ze weten het nog niet, ze denken dat ik alleen die taxi daar moet afzetten. En ik kan die zaak ook niet met hen beginnen, want ik heb een baan aangenomen.' Even zei hij niets en dacht na. Rabat was nog nooit zo ver weg geweest.

Julie zweeg.

'Weet je wat het is? Het was echt niet de bedoeling dat ze mee zouden gaan. Ik had in mijn eentje moeten gaan, zodat ik nog wat tijd zou hebben om over de dingen na te denken. Dan was ik teruggegaan en was de zaak afgehandeld en kon ik het hun gewoon vertellen. Nu weet ik nog niet wat ik tegen hen moet zeggen.' Hij keek Julie aan.

'Het klinkt alsof je in je hoofd alles al op een rijtje hebt,' zei ze lief.

'Ja hè?' merkte Nadir op. 'Het is gewoon een rare situatie, dat ze opeens meegingen en ik jou ben tegen gekomen. Dat had allemaal eigenlijk niet moeten gebeuren.'

14.

Het was vroeg in ochtend toen Nadir bij de taxi aankwam. Hij stond nog precies waar ze hem de vorige dag hadden geparkeerd toen ze Barcelona binnen waren gereden. De zon was nog maar net op en het was al bloedheet. Straatvegers en vogels waren de enige levende wezens die Nadir in het kleine stukje lopen was tegengekomen. Zodra hij bij de taxi kwam, zag hij meteen dat Abdel en Zakaria erin lagen te slapen. Abdel op de achterbank, met zijn trui als kussen, en Zakaria op de naar achteren gedraaide bijrijdersstoel. Zakaria's hoofd lag kwijlend vlak bij het raam, waardoor hij zich rot schrok toen Nadir op het raampje klopte. Langzaam gingen zijn ogen open en chagrijnig keek hij op om te zien wie hem zo irritant had gewekt. Toen hij zag dat het Nadir was, draaide hij met veel moeite het raampje omlaag.

'Hé,' zei hij met een stem die paste bij zijn slaperige hoofd. Nadir kon er wel om lachen.

'Hebben jullie hier heel de nacht geslapen?'

'Nee, eerst lagen we in het Hilton hier om de hoek, maar we zijn op een gegeven moment maar in de auto gaan liggen voor als jij op het raam kwam kloppen.' Zakaria schonk hem een cynische glimlach.

'En het hostel dan?' Zakaria keek hem aan alsof hij een grap maakte.

'Dat was dicht.' Nadir zei dat dat fucked up was en liep naar de andere deur. Toen hij instapte en de deur weer achter zich dicht trok, werd Abdel pas wakker. Toen hij omhoogkwam, zag Nadir in zijn achteruitkijkspiegel dat Abdel een gigantisch blauw oog had.

'Wat de fuck is er met je oog?'

Abdel zette snel de zonnebril uit de Franse supermarkt op. 'Niks…'

Nadir draaide zich om. 'Lul niet man. Je oog is helemaal dik en blauw.'

Zakaria moest erom lachen.

'Oh dat. Weet ik veel. Ben ergens tegenaan gelopen.'

Nadir schudde zijn hoofd. Hij kon wel raden wat er was gebeurd.

Nadat hij en Julie waren weggegaan, had die klootzak van een portier vast weer moeilijk gedaan toen ze weer naar binnen wilden. Deze keer was Paco niet in de buurt geweest en was het uitgelopen op een ordinaire woordenwisseling, waarbij vooral Zakaria – aangezien hij dronken was – behoorlijk beledigend zou zijn geweest. Abdel zou tussen de twee in zijn gaan staan en had in het geduw en getrek de eerste klap gekregen. Waarschijnlijk een kopstoot of een elleboog, maar het was voor Zakaria genoeg reden geweest om er op los te gaan. Nadir keek naar de knokkels van Zakaria, die waren inderdaad rood en er zaten een paar kleine korstjes op, verder was hij ongeschonden, wat een wonder leek nu hij dacht aan die beer van een uitsmijter die daar gisteren stond. Wel moest hij die nacht ergens zijn das zijn verloren. Zakaria zou dus wel iets gebruikt hebben, een fles, een vuilnisbak of wat ook maar voorhanden was. Hij had Zakaria zelfs wel eens een fiets op iemand zien gooien, om vervolgens als een gek op die fiets en de eronder liggende persoon te gaan springen. Zoiets moest ook deze keer zijn gebeurd en toen de klerenkast eindelijk neer was gegaan, hadden Abdel en Zakaria vast nog een paar flinke trappen uitgedeeld. Maar goed, op het oog van Abdel na zagen ze er redelijk ongeschonden uit, dus ze zouden zich wel op tijd uit de voeten hebben gemaakt. Daarna hadden ze nog uren door de stad gezworven, op zoek naar wat ijs voor het oog van Abdel en een hostel. Misschien was het ook maar beter dat Nadir niet precies wist wat er gebeurd was. Hij had al genoeg aan zijn hoofd.

Een van die problemen was om voor acht uur die avond in Algeciras te zijn, iets wat technisch gezien mogelijk was, maar dan moesten ze in één keer doorrijden zonder ook maar een plaspauze te nemen. Nadir startte de auto.

'Je wilt toch niet zeggen dat we nu meteen gaan rijden hè?'

Nadir reed de auto uit zijn parkeerplek en gaf gas. 'De laatste boot gaat om acht uur en die moeten we halen.'

Het duurde een halfuurtje voordat Abdel er over begon, het zal de korte nacht zijn geweest want Nadir had het al veel eerder verwacht.

'Enne… Ga je ons nog zeggen wat er vannacht gebeurd is, of wat?'

Nadir lachte alleen. Zakaria bemoeide zich er nu ook mee en deed net alsof hij het voor Nadir opnam.

'Tuurlijk is er wat gebeurd. Hij is heel de nacht weggeweest en hij ruikt naar chick.' Voordat Nadir het doorhad, rook Abdel vanuit de achterbank aan zijn nek.

'Rot op, jongen,' zei Nadir tegelijk lachend en geïrriteerd.

'Je hebt gelijk matti, hij ruikt echt naar een chick.' Zakaria kwam niet meer bij, maar Abdel ging door. 'Maar vertel ons dan op zijn minst of het waar is wat ze zeggen over Franse chickies.'

Zakaria keek hem aan zei heel netjes: 'Wat zeggen ze dan over Franse chickies, Abdel?'

Ze speelden een soort *good cop/bad cop* en Nadir vond het behalve amusant meelijwekkend slecht gedaan.

'Nou,' ging Abdel erder. 'Ten eerste ze scheren hun oksels niet.' Zakaria knikte er geïnteresseerd bij.

'En ten tweede: ze zijn geil!' Nu brak er chaos los in de auto en Zakaria en Abdel gierden het uit. Zakaria zetten een kinderliedje in waarin hij de namen van Nadir en Julie invulde en het uiteraard over seks ging. Dit was zo kinderachtig dat zelfs Nadir er wel om kon lachen.

Terwijl ze dwars door Spanje reden met zijn roodgele, dorre landschap en het leek alsof de zon hen op de hielen zat, ging Abdel nog even door. Eerst met heel directe vragen over standjes en vooroordelen, tot hij ten slotte alleen nog maar opschepte over wat hij met haar zou hebben gedaan. Zakaria viel hem vaak in de reden om met een overtreffende trap te komen. Nadir zei niets. De waarheid was namelijk dat ze helemaal niets hadden gedaan, dat Abdel en Zakaria samen in een auto hadden geslapen terwijl hij heel de nacht bij Julie was geweest.

Toen Abdel moe van zichzelf was geworden, viel hij in slaap op de achterbank. Zakaria werd rustig en dommelde af en toe weg. Urenlang reden ze zo door en was het stil in de auto, ze stopten maar één keer omdat Zakaria moest plassen en Nadir wel een kop koffie kon gebruiken. Rond het middaguur was het bijna niet meer te harden in de auto, zo warm was het. Op het vale, hete asfalt leek de zwarte Mercedes wel een schietschijf voor de zon. Ze reden uren zonder ook een stad tegen te komen, en daarom waren er ook geen radiozenders. Nadir maar wat voor zich uit te zingen. Het was een Arabisch liedje dat zijn moeder vroeger voor hem zong als hij niet kon slapen.

Het viel Nadir op dat Zakaria naar een iPod luisterde. Hij meende zich niet te herinneren dat ding op deze reis eerder gezien te hebben. Toen hij zag dat het een roze exemplaar was, móést hij er wel iets van zeggen.

'Van wie is die iPod eigenlijk?' vroeg hij op een geïnteresseerde toon.

'Hè?' zei Zakaria ongeïnteresseerd terug.

'Van wie is die iPod eigenlijk?' zei Nadir, ditmaal iets harder.

'Wat?' zei Zakaria, die dit onmogelijk niet verstaan kon hebben.

'Hou je me voor de gek of zo?' zei Nadir boos, waarop Zakaria een oortje van de koptelefoon uitdeed zodat hij Nadir verstond.

'Van wie is die iPod?' vroeg Nadir nu met nadruk op elk woord, terwijl hij even opzij keek en niet op de weg.

'Deze?' vroeg Zakaria onschuldig.

'Ja, die ja,' antwoordde Nadir bits.

'Van mij.'

'Een roze iPod?'

'Ja… nou ja… hij is van mijn zusje.'

'En die heb je de hele tijd al bij je?' vroeg Nadir op een toon waaruit bleek dat hij er niets van geloofde.

'Ja,' zei zijn Tunesische vriend nonchalant. Nadir minderde vaart en zette de auto op de vluchtstrook.

'Wat doe je?' vroeg Zakaria nog, maar het was al te laat. Abdel werd wakker van de plotselinge stop en het gepraat van de jongens. Nadir pakte een van de oortjes en luisterde naar de muziek. Het was Spaanstalige rap, een beetje van die hippierap, met gitaren en conga's en zo.

'En sinds wanneer luister jij naar Spaanse muziek?' vroeg Nadir wantrouwend.

'Dat is gewoon mooie muziek,' probeerde Zakaria nog. De teleurstelling was van Nadirs gezicht af te lezen. Hij wist precies hoe dit zou gaan. Ergens rond deze tijd zou Paco of Raul of wie dan ook op dat feest was geweest zijn iPod missen en hoewel misschien wel niemand iets zou zeggen, zou toch iedereen aan die 'drie Marokkanen' denken.

'Moet ik ze even bellen om te vragen of hij van hen is?' vroeg Nadir, die het irritant vond dat Zakaria niet gewoon toegaf.

'Bel maar,' zei deze, een stuk minder stoer dan hij zelf had gehoopt.

'Oké, we zijn net een telefooncel gepasseerd,' zei Nadir. Terwijl hij het zei, besefte hij dat hij zijn vader de dag ervoor helemaal niet had gebeld . Maar wat had hij ook moeten zeggen? 'Nee pappa, we chillen gewoon een dagje in Barcelona en ik ga vanavond dronken worden en bij een mooie Française slapen.'

'Oké, oké… misschien is hij wel van een van die Spaanse gasten. Weet ik veel, die dingen lijken allemaal op elkaar en ik dacht dat 'ie van mij was.'

Nadir schudde zijn hoofd. 'Jij moet je echt schamen man. Serieus,' zei hij, en zowel Zakaria als Abdel hoorde in zijn stem dat hij het meende.

15.

Even was het stil in de auto en was er niets te horen dan de wind en af en toe een auto die voorbijkwam. In de achteruitkijkspiegel zag Nadir echter iets wat hem nog veel meer zorgen baarde. Achter de taxi stopte bruusk een politieauto, waaruit twee agenten stopten.

'Kut,' zei Nadir hardop, en de andere jongens keken nu door de achterruit. Zijn vader had hem nog zo gewaarschuwd: blijf uit de buurt van de Spaanse politie, vooral in het zuiden van Spanje. De mensen daar waren armer dan het noorden en ze hadden een verschrikkelijke tyfushekel aan Marokkanen, wat niet gek was, aangezien er jaarlijks uit Frankrijk, België en Nederland alleen al drie miljoen Marokkanen door hun stukje land reden op weg naar huis. En dat dan ook nog eens twee keer: één keer heen en een maand later weer terug. De Spaanse politie stond in reizigerskringen dan ook bekend als een troep racisten die je altijd iets afhandig probeerde te maken of je gewoon wilde treiteren.

Een van de agenten kwam bij Nadirs raampje staan en beet hem toe: 'Passaportes.' Nadir pakte zijn paspoort en vroeg de jongens hetzelfde te doen. Toen hij de paspoorten van hem en Abdel gaf, hoorde hij de agent 'Olandesses?' zeggen op een cynische toon, de agent zakte iets door zijn knieën en keek met een vuile blik in de auto. In het Spaans zei hij iets wat weer op 'Olandesses' eindigde en je hoefde geen Spaans te spreken om te snappen dat hij vond dat de jongens er bepaald niet uitzagen als 'Ollandesses'. Toen de Spaanse diender Abdel zag, keek

83

hij naar zijn oog en nam hem eens goed in zich op. De andere agent had intussen een rondje om de taxi gelopen en tikte af en toe met zijn knuppel op de auto. Nadir keek Zakaria aan in afwachting van zijn paspoort. Zakaria gaf zijn paspoort en Nadir schrok zodra hij het zag. Het was, in tegenstelling tot de rode boekjes van hem en Abdel, groen en er stond een Arabische tekst op. Ook dat had Nadirs vader duidelijk gezegd: in Europa altijd je Nederlandse paspoort laten zien en in Marokko altijd je Card National. In Marokko gaf je de politie met je Nederlandse paspoort aanleiding tot treiteren.

Zodra de agent het groene paspoort van Zakaria zag, wist hij genoeg. 'Salida el coche' riep de agent, die intussen ook zijn collega had aangegeven dat hij bij de andere deur moest staan. 'Salida el coche' werd er nog een keer met meer kracht geroepen. Nadir wilde nog vragen wat er dan aan de hand was, maar het was al te laat: zijn deur werd opengetrokken en de agent trok hem ruw uit de auto, zette hem bij de motorkap neer en schopte zijn voeten uit elkaar. Abdel was uit de auto gestapt en werd naast hem neergezet. Zakaria, die begon te protesteren toen hij zag hoe hard zijn vrienden werden aangepakt, werd door de andere agent stevig vastgepakt en bijna op de motorkap gesmeten.

'Waarom gaf je hem je Tunesische paspoort?' beet Nadir hem toe.

Met een gespannen gezicht, vol ingehouden woede zei hij: 'Ik heb niks anders bij me.'

'En je mes?' lispelde Nadir, die de schade wilde beperken.

'Zit in mijn schoen,' zei Zakaria terwijl de agent die hem zojuist had aangepakt naar de achterbak liep en die opendeed.

'Silencio,' riep de eerste agent die Nadir uit de auto had gesleept, terwijl hij tussen Nadir en Abdel in kwam staan en hen beiden in hun nek greep. Het was nu vrij duidelijk dat hij de leider van de twee was, en de gemeenste.

'Wie is de eigenaar van de auto?' vroeg hij in het Engels.

'Ik, het is mijn vaders auto,' zei Nadir. Op dat moment riep de agent, die wat spullen uit de achterbak op de grond had gesmeten, zijn collega erbij. Toen hij ook naar de achterkant van de wagen liep, blokkeerde de openstaande achterklep Nadirs zicht. 'Wat doen ze?' vroeg hij aan Zakaria, die vanuit zijn positie aan de zijkant van de motorkap beter zicht had.

'Ze ruiken ergens aan,' zei hij. Ruiken ergens aan, dacht Nadir, waaraan dan?

'Je hebt toch niks raars meegenomen hè?' zei hij tegen Zakaria, met het iPod-incident in zijn achterhoofd.

'Nee *zebie*, wat heb ik meegenomen?'

Op dat moment kwam de klootzak van de twee op hen af met een van de Tupperware-bakjes van Nadirs moeder. '*Que es esto?*' vroeg hij, terwijl hij het open bakje voor Abdels neus hield. Abdel kon hier wel om lachen, waardoor de agent hem hard met zijn gezicht in het bakje duwde. 'Doe rustig, dit is geen Nederland, dit zijn echte *motherfuckers*,' zei Nadir zonder te beseffen dat dat laatste woord een internationaal woord was. Maar veel tijd om daarover na te denken had hij niet. De agent sloeg hem met de buitenkant van zijn hand vol in zijn gezicht. Dit ging Zakaria te ver en op het moment dat hij de agent aan wilde vliegen, voelde hij de slag van een knuppel in zijn rug. Onmiddellijk werd hij door de andere agent in een houdgreep gehouden. Zakaria verzette zich echter hevig, waardoor de agent hem met zijn knuppel in zijn knieholte sloeg. Zakaria zakte door zijn knieën en knalde met zijn voorhoofd keihard op de motorkap. De agent zetten hardhandig zijn arm in zijn nek.

'*Que es esto?*' vroeg de agent nog een keer langzaam aan Abdel.

'Het is eten, gewoon eten!' schreeuwde Abdel. De agent liet hem los.

'Eten,' zei hij cynisch en hij gooide het bakje tegen over de vangrail in een weiland. Hij leek nu iets minder opgefokt en de andere agent liet de op zijn knieën zittende Zakaria los, maar bleef dicht bij hem staan. De agent die Abdel had vastgehouden liep naar de buitenspiegel

aan de bestuurderskant, bukte voorover en keek er aandachtig naar.
'Deze spiegel is kapot,' zei de man nonchalant terwijl hij naar een spiegel keek waar niets mis mee was.
'Welke spiegel is kapot?' vroeg Nadir bezorgd. De agent haalde zijn wapenstok uit zijn riem, zei koeltjes: 'Deze,' en sloeg de spiegel met een harde ram van zijn stok en wat trappen van zijn laars helemaal aan gort. Nadir stond aan de grond genageld, het stukslaan van de spiegel deed hem meer pijn dan die klap van zojuist, waarvan hij al niets meer voelde. Dit ging door merg en been. Dit was zijn vaders auto, een auto waarin hij praktisch was grootgebracht en de auto waarin hij had leren rijden. Bovenal was de auto nu voor een paar dagen zijn verantwoordelijkheid en zelfs die kon hij blijkbaar niet aan. Had zijn vader dan toch gelijk gehad, was hij geen haar beter dan zijn vrienden? Was ook hij een onvolwassen nietsnut die nodig eens 'serieus' moest worden? Intussen was ook de andere agent erbij komen staan.
'Je krijgt een boete voor rijden zonder spiegel, dat gaat je vijftig euro kosten.' Als in een roes haalde hij zijn portemonnee tevoorschijn, waaruit hij de vijftig euro haalde en die aan de agent gaf.

Zo snel als de agenten gekomen waren, zo snel gingen ze er weer vandoor, en toen ze weg waren, bleven de jongens verbijsterd achter bij de auto. Niemand zei iets, ze keken alleen naar de weg en de horizon waaraan langzaam de politieauto verdween. Honderden kilometers voor hen lag nog een zee die ze moesten oversteken, met een land erachter dat ze nog moesten doorkruisen. Honderden kilometers achter hen lag de stad waar ze vandaan kwamen en nu al drie dagen geleden van weg waren gereden. Abdel stak een sigaret op en Nadir voelde aan zijn oor, waar hij zojuist geraakt was.
'Chris Zegers,' zei Zakaria plotseling uit het niets, waarop beide jongens hem verbaasd aankeken.
'Weet je nog die presentator waar ik het gisteren over had?' De jon-

gens zeiden niets. 'Toen die flikker me hier op de grond gooide, wist ik het weer. Chris Zegers.'

De rest van de middag reden ze in een hoog tempo door het zuiden van Spanje en werd er niet veel gepraat in de auto. Hoewel iedereen op een gegeven moment honger had, zei niemand iets en reden ze door. Iedereen in de auto deed zo hard mogelijk zijn best om niet meer aan het voorval te denken, maar telkens als Nadir iemand inhaalde, keek hij in de kapotgeslagen spiegel.

16.

Ongeveer een halfuur nadat de laatste boot was vertrokken kwamen ze in Algeciras aan. Algeciras was een typische havenstad. 'Daar komen de ratten van de boot,' zei men daar en zo te zien leek dat wel te kloppen. De rand van Europa, het voorportaal van de Arabische wereld. In het verleden was de stad vaak van bezetter gewisseld en zo was de binnenstad tot een viezige en onsamenhangende mengelmoes van culturen verworden. Het volk op straat was ruig. Er hing een sfeer van illegaliteit en er waren straten waar je het gevoel had dat je al in Marokko was. Nadir parkeerde de auto in de haven en liep naar een van de vele ticketwinkeltjes waar ze kaartjes verkochten voor de populaire oversteek. Daar haalde hij drie kaartjes voor de eerste boot de volgende ochtend om 7 uur. Toen hij terugkwam bij de auto, zag hij dat Zakaria in zijn onderbroek stond. In zijn hand had hij zijn broek, onderdeel van zijn mooie pak, waarin hij met zijn vlindermes aan het snijden was.

Abdel stond ernaast en keek er geamuseerd naar. Dit schouwspel op een bijna verlaten parkeerplaats tegen een decor van tientallen havenkranen zorgde ervoor dat ook Nadir eerst maar even toekeek.

'Wat doe je?' vroeg hij uiteindelijk.

'Deze broek is te warm,' zei Zakaria zonder veel aandacht aan hem te schenken.

'En?' zei Abdel, waarmee hij op de tickets doelde.

'Ik heb tickets gehaald voor de eerste boot morgenvroeg,' zei Nadir, die nog steeds baalde dat ze de boot hadden gemist.

'Oké. Hoe laat zijn we dan in Tanger?' vroeg Abdel.

'Uur of twaalf,' zei Nadir terwijl hij keek hoe Zakaria nu hele stukken van zijn broek scheurde.

'En hoe ver is het dan rijden naar Rabat?' vroeg Abdel verder.

'Een uur of vijf.'

Zakaria deed wat er over was van zijn broek weer aan.

'En hoe laat heb je die afspraak?'

'Om vijf uur,' zei Nadir.

'Nou dan, dat is perfect.'

Nadir knikte zwakjes ja en keek naar Zakaria, die toch met redelijk succes van zijn Hugo Boss-broek een korte Hugo Boss-broek had gemaakt. Het was op dit moment dat hij besefte dat Zakaria dat pak nooit meer aan Mounir ging betalen, hij zou zeker zeggen dat het pak onderweg half uit elkaar was gevallen of zo. Het was ook het moment dat hij zich realiseerde dat Abdel en Zakaria binnenkort nieuwsgierig zouden worden naar zijn afspraken.

'Laten we gaan zwemmen,' zei Zakaria uit het niets. Daar stond Nadirs hoofd helemaal niet naar.

'Waarom niet? Het is lekker weer, we zijn aan de zee en we kunnen toch niet verder.'

Abdel moest hem daarin gelijk geven en ook Nadir had er niet echt een antwoord op. Ze namen een kamer bij het eerste het beste goedkoop uitziende hostel en terwijl Abdel en Zakaria buiten een paar pizzaslices gingen scoren, belde Nadir vanuit de receptie naar zijn vader.

'Hallo? Ja… Ik ben net aangekomen in Rabat. Alles is goed. De boot? De boot was druk, we konden er nog maar net bij. Rabat is een mooie stad ja. Warm, ja. Met de auto is alles goed… Hij staat goed op slot… Nu? Niets meer… Op tijd naar bed, het was een lange dag dus ik ga vroeg slapen. Oké pappa. Dag.'

Nadir hing op keek in een spiegeltje dat achter de toonbank hing naar zichzelf. *Smile, you're in Spain* stond erop.

17.

Toen ze op het strand aankwamen, was de zon al bijna onde onder. Het strand lag er verlaten bij. In de lage duinen graasde een groepje rossige Spaanse koeien. De zee was een woeste waterpartij, Terwijl de jongens richting de waterkant liepen, viel de opwinding in hun ogen te lezen. Ze begonnen hun kleren uit de doen en vouwden alles netjes op. Op het moment dat Abdel en Zakaria in hun onderbroek stonden en klaar waren om het water in te rennen, zagen ze dat Nadir nogal onhandig bezig was een felblauwe zwembroek aan te doen met een handdoek om zijn middel. Even keken ze naar hem en ze begonnen te lachen toen hij hen opmerkte.

'Wat? Gaan jullie nou doen alsof het raar is dat iemand een zwembroek meeneemt als hij naar Marokko gaat?' Nog steeds moesten de jongens lachen.

'Soms vraag ik me echt af of wij in dezelfde buurt zijn opgegroeid,' zei Abdel.

Nadir keek hen vermoeid aan en ging verder met omkleden.

'De laatste in het water is een bezem!' riep Zakaria terwijl hij een sprint inzette, direct gevolgd door Abdel. Nadir keek hoe ze het water in doken terwijl hij alleen op het strand stond. Even bleef hij naar hen kijken, en toen liep hij het water in. Zodra hij in het water stond, moest hij meteen denken aan een avond ongeveer tien jaar geleden.

Het was een warme zomer geweest en op tv sprak men zowaar van een hittegolf. Alle drie waren ze die zomer in Nederland gebleven, zodat ze elkaar praktisch elke dag zagen en elke dag plannen maakten om deze vakantie wat spannender te maken dan de vorige. Al dagen was Zakaria aan het opscheppen dat hij 's nachts met een paar oudere jongens uit de buurt een gat had geknipt in het hek van het De Miranda-bad en daar gratis had gezwommen. Hij had er zo lang over gepraat tegen Abdel en Nadir, dat zij het nu ook wel eens wilden zien. Op een nacht slopen ze alle drie uit hun ouderlijk huis en ontmoetten elkaar op het pleintje. Met z'n drieën fietsten ze erheen en toen ze met behulp van de zaklamp die Nadir had meegenomen het gat hadden gevonden, bevonden ze zich opeens op een donker en verlaten zwembadcomplex. Omdat het ook 's avonds nog heet was, trokken de jongens onmiddellijk hun kleren uit en sprongen in hun onderbroeken in het water. Uren bleven ze daar, stoeiend in het pierenbadje en in het donker sprongen ze van de hoogste springplank het donkere water in. Uiteindelijk had Zakaria zelfs het kleine ruitje van het snoepwinkeltje ingetikt en kwam hij met een grote plastic bak vol groene kikkertjes aan. Terwijl ze met hun natte ruggen in het gras lagen en naar de sterren keken, aten ze kikkerstjes tot ze niet meer konden. Jaren later had hij er pas weer een kunnen eten, en zodra hij de smaak op zijn tong proefde, dacht hij weer terug aan wat de beste avond van die zomer was geweest.

Hoewel er in de Middellandse Zee geen springplanken waren en groene kikkertjes waarschijnlijk in de verre omtrek niet te bekennen waren, stoeiden ze nog even ruw en wild als toen. Nadir werd gesopt en sopte zowel Abdel als Zakaria vele malen in de wilde golven van de zee. De zon lag op zijn laagste punt in de roodgekleurde zee toen Abdel opeens stil bleef staan en naar de overkant wees.

Met al het gedoe van de boot en hun wilde gestoei in het water was het hun nog helemaal niet opgevallen.

'Kijk, als je goed kijkt, kun je aan de overkant Marokko al zien,' zei Abdel.

De drie jongens knepen hun ogen wat toe en inderdaad, als je goed keek kon je Marokko zien liggen. Terwijl Abdel en Zakaria bleven staan, liep Nadir het water uit naar hun spullen, daar droogde hij zich af en hij ging met zijn handdoek om zijn middel geslagen in het zand zitten Als je goed keek, kon je inderdaad Marokko zien liggen.

18.

Het duurde niet lang voordat Abdel en Zakaria ook uit de zee kwamen en zich bij Nadir voegden.

'Geef me je handdoek even,' zei Zakaria terwijl hij zijn hand al uitstak naar de handdoek waar Nadir op zat.

'Die is helemaal nat,' antwoordde Nadir.

'Geef nou maar, anders moet ik het met jouw shirt doen en dan is dat helemaal nat,' lachte Zakaria en hij maakte er nu ook haastige gebaren bij.

Met tegenzin stond Nadir op en gaf zijn handdoek. Terwijl Abdel en Zakaria zich er om de beurt mee afdroogden, keek hij naar de zee.

Nadir speelde ongemakkelijk met zijn voeten in het zand.

'Ik heb een baan aangeboden gekregen en ik heb ja gezegd,' zei hij ineens. Het was er sneller uit dan hij zelf had verwacht. Hij bleef strak naar de zee staren terwijl de jongens hem verbaasd aankeken.

'Wat?' zei Abdel.

Nadir keek hem aan. 'Wat ik zeg. Ik heb een baan aangeboden gekregen en ik heb ja gezegd. Ik begin volgende week maandag al.'

'Waar dan?'

'Bij het bedrijf van mijn oom waar ik stage heb gelopen. Ik ga helpen met de boekhouding en zo,' vervolgde hij op dezelfde constaterende toon.

'Dat suffe importbedrijf?' zei Abdel verontwaardigd. 'Ik dacht dat je het daar zo saai vond.'

Nadir zuchtte, dat had hij inderdaad ooit gezegd. 'Dat was ook zo, maar ik denk dat ik er wat van kan maken. Daarbij heb ik het geld nodig voor andere dingen.'

Hij stond tegenover Abdel, die zich nu pas langzaam leek te realiseren wat dit allemaal betekende. 'Lekker is dat. En onze zaak dan? Ik neem aan dat je daar geen tijd meer voor hebt. Je weet dat we die zaak niet kunnen opzetten zonder jou. Jij bent de enige van ons drieën die verstand heeft van het papierwerk.' Toen nam hij even een pauze, om daarna cynisch te vragen: 'Of heeft je vader dat ook voor ons geregeld?'

Geïrriteerd keek Nadir hem aan. Zakaria had nog steeds niets gezegd.

'Laat mijn vader erbuiten, hij heeft het beste met mij voor. En begin niet tegen mij over die zaak. We praten er al twee jaar over zonder dat er iets is gebeurd en nu opeens heb je ja gezegd tegen een of ander pand. Dat is toch belachelijk?'

Beledigd zette Abdel een stap naar hem toe.

'Niets gebeurd? En de logo's dan?' zei Abdel, oprecht in de veronderstelling dat dit een goede tegenwerping was. En juist dat maakte Nadir ineens ziedend.

Nadir maakte een wegwuivend gebaar.

'Ach man, die logo's van je heb ik in een halfuur gemaakt. Ik heb het bijvoorbeeld over die keer dat we naar een open dag bij de Kamer van Koophandel zouden gaan en je niet kwam opdagen. Of die papieren voor de zakelijke bankrekening die je al vier maanden bij mij thuis zou komen ondertekenen zodat we konden beginnen met het opbouwen van ons startkapitaal.' Dat waren duidelijke feiten en ook Abdel wist dit.

'Jongen, ik werk. Ik heb het druk,' zei hij ter verdediging.'

Nadir was nu niet meer te stoppen. De zon was al onder maar het was nog een beetje licht. Op het verlaten strand stonden drie jongens in hun onderbroek tegen elkaar te schreeuwen.

'Je werkt vier dagen per week en woont een straat achter me. Dat is wat ik bedoel met slap lullen,' zei Nadir scherp terwijl hij priemend met zijn vinger naar Abdels wees.

'Hohoho, rustig,' probeerde Zakaria hem wat te sussen.

'De tijd moet juist zijn,' zei Abdel met een afkeurende ondertoon.

'De tijd zal nooit juist zijn,' zei Nadir, die met de seconde feller werd. 'Ik heb gewoon geen zin om iets op te starten met een paar mensen die hun afspraken niet na komen en op wie ik gewoon niet kan vertrouwen. Denk je dat ik zin heb om me de komende tien jaar van mijn leven kapot te ergeren aan het feit dat jij weer iets niet geregeld hebt en jij weer een paar dagen onvindbaar bent?' Bij dit laatst richtte hij zich voor het eerst ook tot Zakaria. 'Het grappige is dat ik er een tijd geleden achter kwam wat dit plan eigenlijk voor jullie is: het is een excuus om niets te doen. Want zolang we over dit plan praten en het er telkens net niet van komt, hoeven we niets anders te doen.' Hij vervolgde zijn pleidooi op een cynische toon. 'Want hé, we zijn hartstikke druk met het opzetten van een eigen zaak.'

Abdel en Zakaria keken hem strak aan. Nadir deed de stem van Abdel na: '*Hé Nadir, wat vind je van deze stoelen, nee, de servetten in onze zaak gaan vierdubbel gevouwen zijn, in onze zaak nemen we gouden wc-brillen.*'

Teleurgesteld schudde Nadir zijn hoofd. 'Wees toch gewoon eerlijk tegen jezelf en geef toe dat je een fucking nietsnut bent.' Abdel kwam op Nadir af, maar werd na twee stappen tegengehouden door Zakaria, die hem tot bedaren probeerde te brengen.

'Nietsnut? Vind je mij een nietsnut? Jij laat je vrienden in de steek vindt mij een nietsnut?' Nadir deed een rustige stap naar hem toe.

'Ja. Vind je dat zelf niet dan? Mijn vader zei het al toen ik acht was en kijk je hier nou staan. Tweeëntwintig, je werkt parttime in de shoarmatent van je oom, je hebt geen diploma's en je praat heel de dag door over een plan waar je de afgelopen twee jaar geen stap dichterbij bent gekomen.' Weer wees Nadir met zijn vinger naar Abdel, maar deze keer was hij zo dichtbij dat hij zijn gezicht bijna aanraakte. Zakaria pakte zijn arm vast en bracht hem naar beneden in een poging de zaak niet uit de hand te laten lopen. Nadir trok zijn hand los en keerde zich tot Zakaria. Er zat wit speeksel in zijn mondhoeken door alle opwinding en zijn vele gepraat.

'Dat geldt ook voor jou man, alleen heb jij niet eens een baan bij je oom en doe je gewoon mee met dit plan omdat je altijd maar gewoon meedoet met alles dat wij doen. Ik bedacht laatst dat als we deze zaak zouden openen, ik niet eens zou weten wat jij moet doen. Je hebt geen werkervaring, niks. Ik zou niet eens weten waar je goed in bent. Ja, in geld lenen en heel de nacht uitgaan, drinken, meisjes versieren en de volgende ochtend met een kater in bed liggen.'

Zakaria stond nu voor hem en keek hem woedend aan. Hun voorhoofden raakten elkaar bijna terwijl Nadir overschakelde naar het Arabisch. Dat was een teken dat het menens was. Als je vroeger gecorrigeerd werd, of toegesproken, als er íéts was waarvan je geen woord mocht missen, dan werd dat in het Arabisch gezegd. Maar de jongens hadden zelf nog nooit zomaar deze overschakeling in een gesprek hoeven maken.

'En praat me niet over je vader, en dat dat de reden is dat je al zo lang niet meer in Tunesië bent geweest. Iedereen weet dat je daar een meisje zwanger hebt gemaakt, lafaard.' Het duurde precies een halve seconde voordat Zakaria hem een vernietigende rechtse gaf, één vloeiende beweging die Nadir vol op zijn lip raakte.

Nadir vloog naar achteren en viel op de grond, terwijl Zakaria hem met vuur in zijn ogen aankeek en werd gegrepen door Abdel. Niemand zei wat en Nadir kwam overeind. Hij keek Zakaria met grote ogen aan en voelde aan zijn mond, waar langzaam bloed uit sijpelde. Hij spuugde bloed in het klamme zand en voelde aan zijn gebarsten lip. Zijn tanden zaten nog goed vast, dus dat viel mee. Hij voelde woede en teleurstelling tegelijk. Hij bekeek de jongens met een moedeloze blik.

Nadir begon zijn spullen te pakken terwijl Zakaria een eind de andere kant op liep en daar ging staan. Toen hij zijn spullen in zijn tas had, keek hij de jongens aan. Het duurde precies drie stappen voordat hij de stem van Abdel hoorde. 'Jij hebt echt een grote bek voor iemand die niet eens tegen zijn vrienden durft te zeggen dat hij eigenlijk naar Marokko gaat om daar zijn toekomstige vrouw te ontmoeten.'

Nadir bleef staan met zijn rug naar de jongens toe.

'Of dacht je dat wij dat niet wisten? Dacht je echt dat wij voor de grap met jou meegaan om een auto naar Marokko te brengen? *Zehma*, we hebben niks beters te doen of zo?'

Nadir draaide zich om en keek de jongens beschaamd aan.

'Nee. Wij gingen mee omdat we ons zorgen om je maakten. Om erop te letten dat je jezelf niet in een of ander gek ding zou verliezen. Maar het enige waar ik me de afgelopen dagen zorgen heb gemaakt, is wanneer het moment zou komen dat je eens eerlijk tegen ons zou zijn. Dus hoe durf jij het woord vertrouwen ook maar in je mond te nemen? Als iemand hier het vertrouwen van zijn vrienden heeft verneukt, ben jij het wel. Ik heb nog nooit zo veel zo lang voor jullie verborgen gehouden. Misschien moet jij in plaats van ons de les te lezen eens bij jezelf beginnen. Een beetje tegen ons beginnen over dat je je eigen pad moet kiezen terwijl jij je vader een baan en een vrouw voor je laat regelen. Misschien ben ik dan nog liever een nietsnut die tenminste zelf zijn leven verkloot in plaats van dat ik het door iemand anders laat doen.'

Abdel raakte nu op dreef, en Nadir stond verbluft te luisteren. Abdel bleek hier goed over nagedacht te hebben. Dat was hij niet van hem gewend. Hij keek Abdel aan en wist niet te zeggen. Achter hem liep Zakaria langzaam weg. 'Maar weet je wat? Je doet maar. Nu hoeft je vader zich tenminste ook geen zorgen meer te maken dat er een paar nietsnutten naar de volgende bruiloft komen.' Toen hij dit gezegd had, spuugde Abdel op de grond en richtte zijn blik naar de zee.

Nadir keek naar de twee jongens en liep zonder omkijken de duinen in.

19.

Hoewel de stad er niet echt toe uitnodigde, wist Nadir niet veel beters te doen dan wat rond te lopen in Algeciras. Het havenstadje leek in het donker in niets meer op de drukke warboel waarin ze die middag waren terecht gekomen. 's Avonds was Algeciras in elk geval mooier, de steegjes gaven hun warmte van de dag af aan de lucht en op een betegeld en druk pleintje waar hij op een bankje zat, dwaalden zijn gedachtes af naar de veelkleurigheid van Marokko.

Doelloos slenterde hij door naar de haven en zat een tijdje op een hekje aan het water. In de verte zag hij de knipperende rode lampjes van boten die aan de stad voorbij gingen. Boten die naar links gingen, gingen de Middellandse Zee op met Griekenland, Italië en zelfs Turkije als einddoel. Boten die naar rechts gingen, verdwenen de Atlantische Oceaan op, op weg naar Amerika, Australië of Brazilië. Nadir had weleens gelezen dat er elke ochtend een vol schip met Spaanse tonijn vanuit Algeciras naar Japan vertrok om daar als sushi te worden verkocht. Op een of andere manier was het wel fijn om voor het eerst sinds zijn vertrek even alleen te kunnen rondlopen, na te kunnen denken zonder zich zorgen te maken over Abdel en Zakaria.

In een Egyptische eettent at hij een hararisoep terwijl de eigenaar tv-keek. Op de muur waren de befaamde piramides van Gizeh geschilderd. Waarschijnlijk had de baas het er zelf op gekalkt. Nadir was niet erg gewend alleen ergens te eten, en keek maar naar de grote televisie in de hoek, waarop beelden te zien waren van de Spaanse politie die Noord-Afrikaanse vluchtelingen onderschepte. Nadir verstond er niets van maar bleef kijken. Bootjes vol vrouwen en kinderen. Marokko was dichtbij.

Eenmaal terug in het hotel trof hij hun kamer leeg aan. Hij had geen zin in gezelschap, maar hij kon de slaap niet vatten. Toen Abdel en Zakaria terugkwamen uit de stad, lag hij nog wakker in de donkere hotelkamer. Het licht bleef uit maar aan de stommelende geluiden hoorde hij dat ze dronken waren. En anders had de walm van goedkope whiskey die ze meenamen ze wel verraden.

Hoewel hij nog een tijdje had liggen woelen, werd Nadir uit zichzelf heel vroeg wakker. Hij wilde absoluut niet te laat komen voor de boot. Zijn kleren had hij netjes klaargelegd, dus die schoot hij vlug aan, en de jongens merkten niks van zijn stille vertrek uit de kamer.

De file voor de ferry was lang en Nadir verveelde zich een beetje. Het was voor het eerst dat hij zelf een auto door de Spaanse controle reed, en hij keek naar de mannen die met spiegeltjes onder auto's hingen en af en toe norsig reizigers om hun paspoorten vroegen. Hij reed de auto volgens de aanwijzingen van de mannen in overals voorzichtig op het parkeerdek, en hij probeerde er niet bij stil te staan dat hij hem zo in de buik van de boot moest achterlaten. Hij controleerde twee keer of hij goed op slot zat en of hij op de handrem stond.

Eenmaal boven ging Nadir op een bankje op het achterdek van de ferry zitten. Vanaf hier had hij goed zich op hoe het vaste land langzaam verdween. Na een tijdje kwam een oude man met een diepe zucht naast hem zitten. Hij droeg een oranje overal vol vegen en smeer, die net als zijn pet voorzien was van de logo's van de ferrymaatschappij. Nadir vroeg zich af of deze man niet veel te oud was om hier nog te werken. Even keek de man richting het steeds kleiner wordende Spanje.

'Naar huis of op vakantie?' vroeg hij toen ineens in het Arabisch aan

Nadir. Nu zag hij pas hoe oud de man eigenlijk was. De zon en het buitenwerk hadden zijn gezicht met diepe groeven getekend.

'Allebei een beetje,' zei Nadir, en hij bedacht dat hij het even echt niet wist. Nu de man erom lachte, zag Nadir er zelf ook wel de humor van in.

'En u?' vroeg hij toen maar, meer uit beleefdheid.

'Haha, ik, ik ben al thuis. Ik werk en woon al zo lang op deze boot dat ik het gevoel heb dat ik pas ergens naartoe ga als ik eraf ga.'

Nadir keek hem geboeid aan.

'Ik zal je een verhaal vertellen,' zei de man. 'Ik kende een man die ik had ontmoet toen hij nog een jongen was tijdens deze tocht. Hij moet ongeveer van jouw leeftijd zijn geweest. Hij maakte de tocht samen met andere jongens uit zijn dorp. Opgewonden als jonge honden waren ze, klaar voor het avontuur. Ze hadden het alleen maar over de Mercedessen waarin ze zouden gaan rijden en de blonde vrouwen die ze zouden gaan tegenkomen.'

Bij die opmerking dacht Nadir even terug aan zijn imitatie van Abdel en de gouden wc-brillen.

'Vanaf een afstand bekeek ik hen,' vervolgde de man. 'Toen hij me zag, kwam hij naar me toe en vroeg me om een vuurtje. Ik zei dat ik dat niet had. Hierop haalde hij een pakje lucifers uit zijn borstzak en vroeg me hoe het aan de overkant was. Ik zei hem dat het voor iedereen anders was. Drie jaar later kwam hij terug, hij was ouder geworden maar ik herkende hem meteen.

Het was het begin van de zomer en deze keer ging hij niet met de bus, maar reed hij in zijn eigen auto. Op de bijrijdersstoel stond een splinternieuwe kleurentelevisie. In de streek waar hij vandaan kwam was dat in die tijd nog heel wat. Een kleurentelevisie. "Philips" stond er op, met mooie letters. Aan het eind van de zomer keerde hij weer terug en zat er op de plek van de televisie een jong meisje. Twee jaar later zag ik hem weer. De auto was een dikker model geworden en het meisje ook. Van hun spaargeld hadden ze een stuk grond gekocht in zijn geboortedorp en weldra zou de bouw van hun toekomstige huis starten. Na twee weken zou hij weer teruggaan.

Het jaar erop zag ik hem weer, nu met een kind op de achterbank en een koelkast op het dak. Vanaf die keer zou ik hem haast elk jaar terug zien. De achterbank met kinderen werd steeds voller, en aan de spullen op het dak te zien het huis ook. Wasmachines, magnetrons, vriezers en nog grotere televisies. Uiteindelijk was zijn oudste zoon even oud als hij toen ik hem voor het eerst zag. Het werk aan de overkant was klaar, het huis was af, maar de oudste zoon zou ook een kind krijgen en dus werd het grote plan om terug te keren nog even uitgesteld. Trots vertelde hij over het huis, het dak en de tuin. Hij vertelde me zelfs dat de eerste tekeningen gemaakt waren om een zwembad in de tuin aan te leggen. Er moest natuurlijk ook aan de kleinkinderen gedacht worden. Ik vroeg hem of hij aan de overkant ook een zwembad had. Hij lachte me uit en vertelde me dat hun huis aan de overkant een flat vier hoog was. Het enige zwembad daar waren de plassen op zijn vloer van de lekkage in de keuken van zijn bovenburen.

Een jaar later zag ik hem voor het laatst. Hij lag in een gekoelde kist achter in een ambulance. Zijn zoon zat de hele reis naast hem. De mannen die in zijn geboortedorp bezig waren met het graven van het zwembad, onderbraken een dag hun werk en groeven zijn graf.'

Nu voelde Nadir zich verplicht iets te zeggen, maar hij wist niet wat. De man maakte van zijn ogen fijne spleetjes en keek door zijn vingers even naar de zon.

Een krakende stem door de speakers van het achterdek verbrak abrupt de stilte. 'Ik moet weer aan het werk,' zei de man, alsof hij geen antwoord verwachtte. 'De tijd vliegt.'

Verward door dit verhaal bleef Nadir nog even in gedachten verzonken op het bankje zitten. Toen liep hij naar de andere kant van het dek, waar Marokko al in zicht was. De haven van Tanger was totaal anders

dan die ertegenover – chaotisch, druk als een mierenhoop. De stad tegen de heuvel leek daar zomaar tegenaan gegroeid te zijn, zonder dat
iemand zich druk had gemaakt of dat nou wel zo'n goed idee was. Nu
hij er zo naar keek, voelde hij zich trots, zo vertrouwd zag die bedrij-
vigheid eruit. Het laatste stuk ging sneller dan Nadir had verwacht.
Toen hij aan de taxi dacht, snelde hij gehaast naar het laadruim.

Daar vond Abdel op de motorkap van de 250D, precies zoals die ochtend dat ze vertrokken. Met zijn brutale jongensogen keek hij Nadir
afwachtend aan, net als Zakaria, die aan de bestuurderskant wachtte.
Door de man aan dek, het verhaal, Marokko en de daar wachtende
problemen was Nadir Abdel en Zakaria voor héél even vergeten. Heel
even, maar hier waren ze. Zijn beste vrienden.

'Hé,' zei hij dus maar gewoon, en Abdel zei ook: 'Hé.'

'Ik kan dit zeker niet uit je hoofd praten hè?' zei Nadir, en hij glimlachte.

'Nee.'

'Ga dan ten minste van die motorkap af, je deukt dat ding helemaal
in.'

DEEL 5: MAROKKO

20.

In de omgeving van de haven was het druk, vol en warm. Eenmaal in het oude centrum van Tanger was het nog benauwder en kwamen de jongens meteen vast te staan in een smalle straat. Overal werd gebouwd en rondgescharreld, en het leek wel of er geen verkeersregels golden. Nadir begon te toeteren naar een busje dat voor hen de hele straat blokkeerde, en dat op hun dode gemak werd uitgeladen door twee mannen. Een van hen haalde zijn schouders naar Nadir op en keek hem aan alsof hij wilde zeggen: maak je niet druk.

'Kom op man!' zei Nadir.

'Doe rustig, ze zijn zo klaar,' probeerde Abdel de rust te bewaren, en tegelijkertijd te laten merken dat hij met dit soort praktijken bekend was. Een gastje van een jaar of tien kwam in Abdels raam hangen. Hij zag er ongewassen uit en ook niet bepaald vrolijk.

'Holanda Holanda! Alles kits achter de rits? Lekker neuken in de keuken? Wil je sigaret? Kauwgum? Hasjiesj? Meisjes?' zei het joch met een zwaar Marokkaans accent.

'Wie denk je dat we zijn? Opgeflikkerd, voordat ik je vader erbij haal,' zei Abdel in het Arabisch.

'Vader dood, moeder dood, alles dood,' zei de jongen al even ingestudeerd. Abdel keek hem verwijtend aan en draaide zich naar de jongens. 'Hij kan dit vast in alle talen,' grijnsde hij en toen keerde hij zich weer tot de jongen. '*Parlez Francais*?'

'*Voulez-vous couchez avec moi ce soir? Un deux trois, encore un fois, cherchez des cigarettes? Gomme a marcher, hashisch, les filles?*' zei het joch nu gewiekst.

'Koop gewoon wat of laat hem met rust,' zei Nadir, die nog steeds ongeduldig checkte of de weg al vrij was.

'Doe maar een pakje Marlboro,' zei Abdel toen.

'Vijftig dirham.' De jongen leek zomaar een bedrag uit de lucht te grijpen.

'Wat? Ben je gek of zo?'

'Veertig. Dat is gewoon de prijs.'

'Ik geef je drie euro,' zei Abdel en hij zocht wat geld in zijn tasje. De jongen keek teleurgesteld naar het geld.

'Drie euro? Wat moet ik met drie euro? Ben je weleens met een meisje uit geweest met drie euro in je zak?' Zakaria lachte achterin om het schouwspel.

'Hier, geef hem nog vijftig cent en rij door,' zei Nadir, die er nu wel klaar mee was. De jongen nam het geld aan, haalde een sigaret uit het pakje en gaf hem aan Abdel.

'Kijk, dat is nog eens aardig,' zei Abdel. De jongen rende weg en de weg kwam vrij.

De drukte van de stad lag al snel achter ze en voor het eerst reden de jongens door het weidse Marokkaanse landschap. Aan weerszijden van de auto strekten zich dorre, gele velden uit, met hier en daar wat geiten en een enkele hoeder. De hitte was hier anders, stoffiger, en in de auto was het zo heet dat Abdel zijn shirt maar had uitgedaan. Zakaria doeg inmiddels alleen nog een wit hemd van de Zeeman. Alle drie keken ze naar buiten, naar de nieuwe moderne gebouwen, naar de gebouwen die al eeuwig in aanbouw leken en naar de krotten. Langs de kant van de weg zaten mensen onder bomen met hun fruit uitgestald. Ze werden ingehaald door spiksplinternieuwe auto's, en haalden zelf de ezels en karren in die op de vluchtstrook sjokten.

'Hoe laat is het?' vroeg Abdel.

'Het is halftwee,' zei Nadir, opgeschrikt uit zijn gestaar.

'Dat halen we makkelijk.' zei Abdel, alsof hij 'zie je wel' tegen Nadir wilde zeggen.

'Ik weet het niet zeker.'

'Korte rookpauze zo meteen?' vroeg Abdel.

'Ik heb ook honger,' meldde Zakaria zich vanaf de achterbank.

'We zijn er bijna,' zei Nadir maar.

'Lieg niet! Het is nog zeker een paar uur rijden,' zei Zakaria.

'Ja, bijna dus. We stoppen pas als we in Rabat zijn,' zei Nadir, die deze keer voet bij stuk wilde houden.

'Oké, oké,' zei Zakaria.

'Kut!' hoorde Nadir Abdel naast hem zeggen, en hij zag dat hij een lege sigarettenhuls in zijn mond had gestopt. Van die dingen die je per 100 kon kopen en waar je zelf je tabak in moet proppen.

'Ik ben gewoon geflest door die kleine rat,' zei Abdel, en hij liet het pakje vol lege hulzen aan de jongens zien, die hier hard om moesten lachen.

'Je moet hem respect geven, hij heeft je echt lelijk te pakken genomen,' zei Zakaria met een valse lach. Zonder kracht verfrommelde Abdel het pakje tot een prop papier en gooide het boos uit het raam. Hij kon niet lachen om dit soort dingen.

Met Marokkaanse muziek op de radio en de lege, brede snelweg voor ze die Koning Mohammed VI had laten aanleggen, werden de jongens al vrolijker. Bij de eerste tonen herkende Zakaria een nummer en gebood Nadir het volume van de radio te pompen.

'Dit nummer draaide mijn vader altijd als we vroeger naar Marokko reden.'

'De mijne ook!' zei Nadir.

Abdel draaide de radio nu vol open en Zakaria ging helemaal los op de achterbank. Zodra hij de tekst mee begon te zingen, wisten de anderen hem ook weer. Een nostalgische sfeer maakte zich van ze meester. Ze reden door, urenlang, tot ze in de buurt van Rabat kwamen, luisterden naar de radio en genoten van het landschap dat hun vaders hadden verlaten.

21.

Voor ze het wisten, waren ze bij een tankstation aan de rand van Rabat. Omdat je niet met een lege tank bij je schoonfamilie kan aankomen, zette Adbel de wagen onder de overkapping bij een pomp. Nog voordat Nadir iets kon zeggen, stond er al iemand klaar die de tankslang in de auto hing: een man in een blauw hesje die hen vriendelijk toelachte. Zakaria en Abdel stonden zich wat uit te rekken voor de auto.

'Volgooien?'

'Ja, doe maar,' zei Nadir, en hij keek op zijn horloge.

'Je hebt nog meer dan een uur om er te komen. Ben je een beetje relaxed nu?' vroeg Abdel. Het viel Nadir inderdaad mee en hij ontspande een beetje.

'Ik ben oké. Ik ben gewoon blij dat we er zijn.'

'Wel jammer van die spiegel,' zei Zakaria zonder te bedenken dat Abdel Nadir juist probeerde te kalmeren. Snel keerde Abdel zich tot de man die hen bediende.

'Weet u of hier ergens in de buurt een Merccdes-garage zit of zo?' vroeg hij in zijn beste Arabisch.

'Wat scheelt eraan?' vroeg de man geboeid.

'Niks, we hebben alleen een buitenspiegel nodig.' De pompbediende dacht even na. Op zijn donkere huid parelden zweetdruppels, hij was groot en breed maar met ondeugende, guitige ogen en een gulle lach.

'Jullie moeten naar Karim de Gek. Als hij het niet heeft, heeft niemand het,' zei de man beslist.

'Is dat ver?' vroeg Nadir.

'Het is niet ver, maar het is moeilijk te vinden,' zei de man, met het nodige gevoel voor dramatiek.

'Dat redden we nooit man,' zei Nadir, nu in het Nederlands.

'Redden we makkelijk. Vertrouw me,' zei Abdel, en hij keerde zich weer tot de man.

'Wat bedoel je met moeilijk te vinden?' ging hij verder in het Arabisch.

'Het ligt een beetje in een slechte buurt. Je kunt het bijna niet aan een paar buitenlanders uitleggen.' Het was duidelijk welke kant de man op wilde.

'Hoe bedoel je?' vroeg Abdel.

'Hij heeft geen bord of zo hangen. En zijn straat heeft geen naam. En het ligt in een slechte buurt waar je beter niet met zo'n mooie auto kunt rijden.' De jongens keken hem aan, in afwachting van het aanbod dat zou volgen. 'Tenzij er misschien iemand meegaat die de weg kent.'

'Dat zou perfect zijn ja,' ging Abdel verder. 'Wat zou zo iemand kosten?'

'Als die persoon het in zijn pauze zou doen, schat ik ongeveer tweehonderd dirham?'

'Ben je gek of zo?' opende Abdel de onderhandeling. 'Voor tweehonderd dirham zou die persoon een spiegel uit zijn mouw moeten kunnen toveren met een bos bloemen erbij. Ik dacht meer aan honderd.'

'Honderdvijftig,' probeerde de man.

'Goed,' zei Abdel, waarop de man meteen tot betaling over wilde gaan. Daar kon Abdel alleen maar om lachen.

'Ho ho, ik wil eerst die spiegel zien.'

Abdel zat voorin met de pompbediende naast hem. Achterin kon Nadir zijn ogen uitkijken in de straten van Rabat, maar toch maakte hij zich zorgen. 'Ik weet het niet man. Karim de Gek? Wat voor een naam is dat?'

'Je weet hoe dat hier gaat,' zei Abdel terwijl hij met zijn hand een wegwuivend gebaar maakte, 'iedereen heeft een bijnaam. Weet je hoeveel Karims hier rondlopen? Het is net als in Nederland. Als ik tegen jou zeg "Je krijgt de groeten van Mo", zeg jij "welke Mo? Mo van het pleintje?" "Nee. Mo van de kapper." "Oh, Mo van de kapper, zeg dan gewoon de broer van Schele Said,"' zei Abdel.

Nadir dacht hier even over na en besefte dat dit klopte.

'Het enige verschil is dat "van de kapper" iets beter klinkt dan "de gek". Zou jij je haar nog door Mo laten knippen als iedereen hem Mo de Gek zou noemen?'

Nadir keek toch maar naar buiten.

'Abdel! Stop!' riep Zakaria ineens.

'Wat?' riep Abdel terwijl hij afremde.

Zakaria keek Nadir aan en knikte: 'Stap uit!'

'Wat? Waarom?' Zakaria wees alleen maar naar de kapsalon waarvoor ze geparkeerd stonden. 'Er zit hier een kapper, we pikken je hier over een halfuur op.'

'Waarom?' zei Nadir nog steeds een beetje verbaasd.

'Omdat je eruitziet als iemand die net drie dagen in de auto heeft geslapen.' Zakaria duldde geen tegenspraak.

Nadir keek Abdel aan in de hoop op bijval.

'Hij heeft gelijk. Je kunt zo geen vrouw ontmoeten,' zei Abdel. 'Je ziet eruit als een zwerver.'

De pompbediende hield zich buiten de discussie. Nadir dacht even na en keek op zijn horloge.

'Een halfuur. Dan halen we het misschien nog net, dus wees niet later.' Nadir stapte rustig uit, maar de auto trok keihard op.

22.

Nadir stapte een ouderwetse kapperszaak binnen. Het was er krap en vol vergane glorie en troep die kappers gedurende vele jaren verzameld moesten hebben. Twee grijze mannen in smetteloos witte jassen zaten rustig een krant te lezen. Ze zagen er in elk geval heel anders uit dan de mannen op de posters – verbleekte posters uit de jaren negentig, waarop met name blanke mannen met al even blonde kapsels stonden. Nadir keek twijfelachtig, met name omdat er behalve de twee kappers niemand in de zaak was.

'Welkom!' zei een van hen met een grote glimlach, 'ga zitten.'

Nadir nam plaats in een grote oranje kappersstoel.

'Scheren en knippen?' vroeg de kapper, en Nadir zei: 'Ja, doe maar, maar doe het snel, ik heb weinig tijd.'

'Waar kom je vandaan, mijn zoon? Je hebt een vreemd accent,' ging de kapper verder terwijl hij Nadirs gezicht begon in te zepen met scheerschuim.

'Uit Nederland. Mijn vader komt hier uit de buurt van het platteland,' zei Nadir.

'Dat dacht ik al. Wat brengt je in Rabat?'

'Ik ben met drie vrienden met de auto hiernaartoe gereden. We zijn net aangekomen.'

'Een man die in de mooiste stad van de wereld meteen naar de kapper gaat, kan hier maar voor twee dingen zijn,' zei de man lachend, 'werk of een meisje. En aangezien de meeste mannen van jouw leeftijd voor werk juist weggaan van hier, denk ik dat je voor het laatste komt.'

De man achter Nadir, die nog altijd met zijn krant op schoot zat, knikte. Hij lachte ook, alsof hij deze uitspraak al honderd keer had gehoord.

Nadir lachte.

'Hoe heet ze?'

'Yasmine.'

'Dat is een mooie naam, haar vader is een wijs man,' sprak de kapper plechtig.

'Is ze ook mooi?' vroeg hij met een ondeugende lach. Nadir twijfelde.

'Ja. Zeer zeker. Ze komt van een goede familie en ze zal een goede vrouw zijn.'

'Inshallah!' zei de andere kapper van achter zijn krant. De kapper stopte even met zijn bezigheden en keek Nadir indringend aan.

'Ben je zenuwachtig?' Nadir wist niet wat hij hierop moest zeggen.

'Wees maar niet bang. Zie je die lelijke man daar?' en hij wees op zijn collega. 'Ik knip hem al veertig jaar. Als ik hem mooi kan maken in de ogen van een vrouw, dan lukt het bij jou ook. Ze zal betoverd zijn.' En die laatste woorden sprak hij met grote ogen.

Hoewel de kapper veel tijd nam voor praatjes, stond Nadir op de afgesproken tijd weer buiten. Hij deed zijn best rustig te blijven, maar maakte zich wat ongerust over Abdel en Zakaria, die hij nog nergens zag. Het krioelde op straat van de taxi's, maar niet die ene met dat Amsterdamse taxibord op het dak. Net toen hij dacht dat het allemaal weer zou mislukken, kwam de Mercedes de hoek om rijden en stopte Nadir's neus. Op de plek van de gebroken spiegel zat een splinternieuw exemplaar en het leek of de auto een wasbeurt had gehad. Trots keek Abdel Nadir aan en wenkte hem achterin te gaan zitten.

23.

Ze reden een buitenwijk van Rabat in, ergens waar het huis van Yasmine moest liggen. Het was het netste stukje Marokko dat ze tot dan toe hadden gezien, met witte huizen die netjes achter poortjes verscholen lagen en vrijstaande huizen met platte daken, allemaal met diep liggende ramen. Het was duidelijk dat deze buurt Abdel wel beviel, en hij vroeg bij het zien van de huizen aan Nadir of deze Yasmine niet ook nog wat aantrekkelijke zussen had.

Ze vonden algauw de straat en het huis, en parkeerden voor een witte schutting in de schaduw.

Eenmaal buiten voelde het een beetje vreemd dat de jongens nu afscheid zouden nemen.

'Laat me je eens zien. Je ziet er goed uit,' zei Abdel, en hij knikte naar Zakaria alsof ze wel trots konden zijn. Die deed zijn jasje uit en gaf het aan Nadir.

'Hou het maar. Staat je goed. Dan weten ze meteen dat je dure pakken draagt en hun dochter goed zult verzorgen.' Nadir deed het jasje aan en Zakaria plukte wat aan de boorden. Even zei niemand iets.

'Wij staan hier om de hoek, bij dat pleintje. Weet je zeker dat je dit wilt doen?' vroeg Abdel.

'Ja man.'

'Oké.'

'Kom hier,' zei Zakaria terwijl hij Nadir omhelsde. 'Ik ga je missen man.'

'Kom, je moet gaan. Je hebt haast!' Abdel wilde een einde maken aan de emotionele toestand. Nadir knikte en hij gaf Abdel tegen zijn zin een knuffel. 'Kom hier.'

Hij draaide zich om en liep naar de poort van het huis. Na een paar stappen bedacht hij zich en draaide zich nog één keer om.

'Bedankt trouwens.'

Abdel gebaarde alsof het niks was.

'Ja ja, ga nou maar, straks ga je nog huilen, ga,' zei Zakaria lachend, terwijl hij en Abdel om de hoek van de straat verdwenen.

Nadir bekeek zichzelf nog eens in de nieuwe spiegel van de auto en streek nogmaals over het jasje. Toen hij over de borstzak streek, merkte hij dat er nog iets in de binnenzak zat. Hij vouwde het felgele A4'tje uit waarop de logovoorstellen van Abdel stonden. Hij kon er nu wel om glimlachen en stak ze weer terug in de binnenzak. Nog één vlekje van de motorkap poetsen en dan was er echt geen uitstellen meer aan.

Hij liep naar de voordeur en belde aan. Een statige man van in de vijftig deed de deur open en keek hem gereserveerd aan.

'Zo Nadir, welkom, je bent laat,' zei Hassan, de man des huizes, in het Arabisch.

'Excuses, ik kon de straat niet zo goed vinden,' zei Nadir nerveus.

'Je bent groot geworden. Een echte man. De laatste keer dat ik je zag was je zó groot,' zei hij en hij gaf de hoogte van een tafelpoot aan. 'Wat is er met je lip gebeurd?'

'Gestoten,' zei Nadir.

Zonder echt te luisteren keek hij achter Nadir de straat in. Ook Nadir draaide zich om. Daar stond de Mercedes, die in het zonlicht een majestueuze inruk maakte.

'Oh ja, de auto. Mijn vader wilde dat ik deze bij u achterliet; bij wijze van geschenk.'

Nadir gaf hem de sleutel. Diep van binnen deed het een beetje pijn.

De taxi stond er prachtig bij, in het harde Marokkaanse zonlicht.

'Bedank je vader van me. Een man heeft maar een paar keer in zijn leven iets waardevols weg te geven. Als hij dat doet, moet het dus aan de juiste persoon geven.

'Dank je vader vanuit het diepst van mijn hart,' zei Hassan.

Nadir voelde zich nog altijd niet op zijn gemak bij de vader van Yasmine, misschien ook doordat hij naar zijn gehavende lip had gevraagd. Hij liep gedwee achter hem aan naar het terras, dat achter het huis lag. Een ommuurde binnenplaats, heel netjes maar wel een beetje kaal. Daar zat de complete familie om een grote tafel. Prachtig gedekt met mierzoete koekjes op grote schalen. Nadir voelde zich een beetje opgelaten nu hij zag dat iedereen overduidelijk op hem wachtte en nog geen van de kopjes of koekjes waren aangeraakt. Hij keek vlug rond wie er zat, niet te opvallend. Iedereen had zijn nette goed aan, modern maar fatsoenlijk, alleen de oudere vrouwen droegen een hoofddoek.

'Dit is Nadir,' zei Hassan, 'hij is helemaal uit Nederland gekomen om ons te bezoeken en een geschenk van zijn vader te brengen. Kom, ik stel je voor.' Hij keerde zich tot Nadir.

'Dit is mijn oudste zoon Anas, en dat is zijn vrouw Nora. Ze hebben een zoon, Adil, maar die is altijd buiten aan het spelen. En dit is mijn jongste zoon Naufal en zijn vrouw Samira. Dit is mijn broer Hassan, dit is mijn zus. En dit zijn mijn ouders, moge God hun leeftijd verlengen. En dit is mijn vrouw Khadija.' Steeds als hij iemand voorstelde, legde hij zijn handen op hun schouders. Zijn ouders gaf hij een zachte kus op hun hoofd. Toen hij zijn vrouw voorstelde, lachte hij trots.

Nu was alleen Yasmine nog over. 'En dit is de bloem van ons huis,' wees haar vader. Een jaar of achttien, ze droeg een pastelkleurige blouse en haar gitzwarte haar droeg ze los. Ze had een fijn gezicht met donkere ogen en lachte wat onwennig. De stoel naast haar was leeg. Nadir gaf haar een hand en zei haar beleefd gedag. Hij ging zitten en hij voelde hoe de volledige aandacht van de hele familie op hem gericht.

'We hebben veel over je gehoord, Nadir,' zei Khadija.

'Ik ook over u, mevrouw, mijn ouders spreken met niets dan lof over u en uw familie.' De vader van Yasmine ging aan de andere kant naast Nadir zitten en leek tevreden over de introductie.

'Kom, laten we wat drinken.'

Nadir kreeg als eerste thee ingeschonken. Omdat iedereen hem zo verwachtingsvol aankeek, nam hij een koekje van de grote schaal die midden op tafel stond. Pas toen hij daarbij knikte, volgde de rest van de familie ook. Nadir keek de tafel rond, en Yasmine deed hetzelfde naast hem.

'Gefeliciteerd, Nadir, ik hoor dat je net bent afgestudeerd?' vroeg Anas, die naast zijn vader zat.

'Klopt, ik heb economie gestudeerd,' zei Nadir.

'En? Beviel dat?'

'Dat beviel heel goed, het is een interessante studie met veel mogelijkheden voor de toekomst,' hoorde Nadir zichzelf de woorden herhalen die zijn vader ooit sprak.

'Heb je al een plan gemaakt?' vroeg Hassan vanaf de andere kant van de tafel.

'Ik heb een baan aangeboden gekregen bij mijn oom die een groothandel in geïmporteerde Arabische producten heeft. De man heeft zelf geen zoon, dus hij wil mij de kneepjes van het vak leren.' Enkele mensen aan tafel knikten tevreden. Yasmine schonk Nadir nog wat thee bij.

'Hoe was de reis, ik hoorde dat je nogal een zware reis had?' vroeg de vader van Yasmine.

'Ja, dat klopt. Er stond een lange file bij Barcelona vanwege een ongeluk of zo. Daarna nog wat gedoe gehad met de politie in Algeciras.'

'Oh ja? Wat wilden ze dan?' vroeg Anas gretig.

'Ze hebben de hele auto doorzocht en gingen uiteindelijk aan mijn moeders Tupperware-bakjes ruiken. Moest ik hun uitleggen dat ik geen soep probeerde te smokkelen.'

'Dat doen ze altijd!' zei Naufal, de jongste zoon ineens erg fel. Door deze opmerking viel er een ongemakkelijke stilte en iedereen keek naar de jongste zoon. Zijn vader keek hem doordringend aan en fronste vanaf de overzijde, en zijn vrouw Samira nam zijn hand om hem te kalmeren.

In een poging om het gesprek weer op gang te brengen, vroeg de vader van Yasmine 'Heb je wel een beetje van de stad kunnen genieten?'

'Nee, nog niet echt.'

'Als je het leuk vind, kan Yasmine je de stad wel laten zien,' zei Hassan.

Nadir was wat verbaasd over dit vrijmoedige aanbod van Hassan.

Langs de kust lag een pad op de golfbrekers, dat af en toe door een torentje of een gepleisterd gebouwtje werd onderbroken. Vanaf deze boulevard kon je Rabat prachtig zien liggen, en Nadir en Yasmine tuurden beiden wat voor zich uit naar de kustlijn. Verlegen liepen ze naast elkaar.

'Je ouders zijn aardig,' zei Nadir.

'Dank je,' antwoordde ze beleefd. Ze was knap vond Nadir, daarover bestond geen twijfel.

'Jullie huis is ook mooi.'

'Dank je,' zei ze op precies dezelfde toon als de eerste keer.

Schuchter keek ze achter zich, Nadir volgde haar blik en zag dat haar vader en zijn twee zoons nog steeds een heel stuk achter hen liepen.

Hij moest er bijna om lachen, zo ongemakkelijk was deze situatie. Hij dacht aan zijn favoriete film.

'Weet je waar me dit aan doet denken? Aan *The Godfather,* deel 1. Daar zit precies zo'n scène in, als Michael wil trouwen met dat meisje op Sicilië. Ze lopen dan precies zoals wij nu lopen,' zei hij om het ijs een beetje te breken.

'Ik heb die film niet gezien, denk ik,' zei Yasmine timide. Ze haalde haar schouders op.

'Meen je dat?' zei Nadir verrast, 'dat is zonde! Het is een mooie film.'

Ze had die film niet gezien, dacht ze. *The Godfather* stond wereldwijd gerankt als de beste film ooit en dit meisje had hem niet gezien. Was dit een teken? Of was het gewoon zo dat ondanks het feit dat hun vaders in hetzelfde dorp waren opgegroeid en dezelfde taal spraken hij en Yasmine in een andere wereld leefden? En zouden die werelden wel samen kunnen komen? Móésten die werelden überhaupt samenkomen? Hij dacht aan Picasso, fuck wat had hij dat schilderij graag gezien.

'Oké. Mag ik je een eerlijke vraag stellen?' Nadir stond ineens stil voor Yasmine.

Ze keek achterom naar haar familieleden, die verderop ook stopten met lopen.

'Ja...'

'Wat doen we hier? Ik ken je niet. Jij kent mij niet. Ik kwam hier om jouw en mijn ouders een plezier te doen. Ik hoopte dat als ik eenmaal hier was alles op zijn plaats zou vallen. Maar integendeel. Ik weet nu zeker dat dit niet is wat ik wil. En als jij eerlijk bent – je bent een leuk meisje, je bent slim. Je doet dit toch ook alleen om je ouders een plezier te doen?'

Yasmine keek een beetje verward naar hem op, alsof ze even niet kon geloven dat hij dit durfde te zeggen. Ze keek even naar het water achter Nadir.

'Wat een opluchting,' zei ze, 'ik wist nog niet hoe ik tegen mijn vader ging zeggen dat ik niet met je wilde trouwen. Ik heb me al ingeschreven voor een studie na de zomer.' Ze keek voor zich uit en zag Nadir peinzen.

'Niet dat je niet leuk bent of zo. Je valt me eigenlijk best mee, ik had verwacht dat je zo'n typisch patserige Nederlander was die hier een beetje tof zou komen doen met je grote auto.'

'Wat?!' zei Nadir, 'Ik val mee? Ik ben een fucking goeie vangst bedoel je.'

Yasmine lachte voor het eerst voluit.

'Wat zullen we nu doen?' vroeg ze aan Nadir.

'Laten we nog even tien minuten doen alsof we een interessant gesprek voeren en dan weer naar binnen gaan. Dan zie ik later wel hoe ik dit met je vader afhandel.'

24.

De vrouwen waren druk in de keuken om het avondeten te maken en Nadir zat met de vader van Yasmine, Naufal, Ashraf en Anas in de woonkamer.

Het was een traditionele woonkamer, niet eens zo heel anders dan die van Nadirs ouders in Oost. Smalle bankjes met paarse en gele glimmende stof langs alle wanden, met op de hoeken tafeltjes met daarop passages uit de Koran en familiefoto's. Overal hingen kwastjes en lagen kussentjes, en alles was keurig op elkaar afgestemd in dezelfde kleuren. Op het glazen tafeltje voor hen stonden tere kopjes, dadels en melk, en Khadija bracht nog een pot thee.

'Hoe was het strand?' vroeg de vader. 'Het is een mooi strand hè? Rabat is een mooie stad. Je zou hier een huis kunnen nemen voor de zomers.'

'Het is erg mooi ja,' beaamde Nadir. Nadir zat in de hoek, met links van hem Naufal en Ashraf, en rechts naast hem Anas en Hassan, die als een koning languit naar achteren zat.

'Je bent een goede jongen. Heeft je vader geluk mee. Mijn zoons zijn ook goede zoons, daar maak ik me geen zorgen om. Anas bijvoorbeeld, sinds hij in ons bedrijf zit zijn we flink gegroeid. En met Naufal gaan we binnenkort kijken om een investering te doen zodat hij zijn eigen zaak kan gaan opzetten.' Naufal glimlachte dankbaar naar Hassan.

'Yasmine daarentegen… die heeft een eigen willetje. Ze zal een sterke man nodig hebben, die weet wat er gaande is. Ze is slim hoor, begrijp me niet verkeerd. Maar soms denk ik dat ze te veel wil.' En bij dit laatste hief hij zijn vinger en keek hij Nadir veelbetekenend aan.

'Slimme vrouwen zijn goed,' zei Nadir, en daar moesten ze allemaal om lachen.

'Ik ben zelf ook op zoek naar een slimme vrouw,' zei hij, nu serieuzer. ' Een vrouw die kan helpen als ik mijn eigen zaak op ga zetten.'

De ogen van Anas werden groter toen Nadir de woorden 'eigen zaak' uitsprak. ' Een eigen zaak? Je zou toch de zaak van je oom overnemen?'

'Ja, dat zal me helpen het geld bij elkaar te krijgen om die andere zaak op te zetten,' zei hij, en hij keek nu ook Hassan mysterieus aan.

'Vertel me meer.' Hassan boog zich een beetje samenzweerderig nog wat meer naar hem toe.

'Het is een revolutionair concept. Als alles goed gaat, zullen we snel opengaan. En als dat goed gaat, willen we een tweede en een derde filiaal openen. En op den duur misschien zelfs eentje hier in Rabat,' verkondigde Nadir met de nodige bravoure. De vader keek zijn zoons nu instemmend aan.

'Wat voor zaak wil je dan openen in Rabat?'

'Hou je vast.' Nadir haalde het gele blaadje met de logovoorstellen van Abdel uit zijn binnenzak en vouwde het langzaam open voor zich op tafel. Hij ging wat achterover zitten, zodat de mannen er goed naar konden kijken.

'Wat is dit?' vroeg Anas.

'Shoarma-Sutra?' las hij hardop. Het logo was shoarma aan het spit, gesneden in de vorm van het bovenlichaam van een vrouw met gigantische borsten, met daaronder de rode letters in vier varianten.

'Where sex meets Shoarma.' Nadir keek bevlogen voor zich uit en maakte een handbeweging alsof hij het logo in de lucht schilderde. Zijn ogen begonnen te glinsteren.

'Kun je me uitleggen wat Shoarma Sutra is?' vroeg Hassan.

'Het is briljant. Alle Hollanders zijn hetzelfde: als ze uit zijn geweest en dronken zijn, willen ze maar twee dingen: seks en shoarma. Het seksgedeelte hebben ze meestal al opgegeven, dus storten ze zich vol overgave op de shoarma. Jongen, je moet deze mensen zien. Midden in de nacht, hartstikke dronken, eten ze hele bakken weg. Liters knoflooksaus eroverheen, Egyptenaren zijn er niets bij. Het is onwaarschijnlijk. Ons concept biedt beide verlangens in één. Goede, betaalbare shoarma, gesneden en bediend door topless vrouwen.' Nadir ratelde vol trots verder en probeerde voor zichzelf te doen alsof hij pitchte in Dragon's Den.

'En met topless vrouwen bedoel ik échte vrouwen. Een beetje het type Pamela Anderson. De inrichting wordt heel modern, ergens tussen een hippe club en Duizend-en-één-nacht in. En de menukaart? De menukaart is het sluitstuk.' zei Nadir, als wilde hij hun eventuele zorgen op dat front wegnemen. 'Broodje 69, Shoarma on the beach, Shoarma happy-end. Geloof me, dit gaat een regelrecht succes worden. Het is belachelijk. Bakken met geld.' Bij deze laatste zin keek hij triomfantelijk rond.

Yasmine's vader keek Nadir met een vernietigende blik aan.

25.

Het was niet ver lopen naar het pleintje waar Abdel en Zakaria zouden zijn, maar iets meer de stad in was de straat al een stuk levendiger. Het was nu helemaal donker, maar op het plein speelden nog kinderen en zaten mannen in groepjes te praten. Tegen een muurtje zag Nadir hen al staan. Abdel hield een jointje vast en leek een beetje loom. Nadir ging bij hen staan.

'Hé, man,' zei Abdel vrij achteloos.

'Hé,' zei Nadir.

Ze stonden even met zijn drieën tegen het muurtje en keken naar het pleintje. Voor het eerst op deze reis ervoer Nadir het gevoel van vrijheid zoals Abdel en Zakaria dat ook gevoeld moesten hebben. Hij wist niet meteen wat hij zou doen. Ze konden overal wel naartoe, zo leek het.

'Heb je wel de sleutels van de taxi meegenomen?' vroeg Abdel sluw.

'Nee.'

'Hoe gaan we naar huis dan?'

Nadir keek vastberaden voor zich uit. 'Ik ga niet naar huis. Ik ga naar Barcelona.'

Abdel keek hem met grote ogen aan.

'Ik ga naar Tunesië. Dat is toch dichtbij,' zei Zakaria.

'En jij?' richtte Nadir zich tot Abdel.

'Ik ga terug, die zaak gaat over vier maanden open. Jullie hebben allebei nog een maand om terug te komen. Als ik alles in mijn eentje moet regelen, gaan we de aandelen anders verdelen, ja?' Ze lachten allemaal.

'Laten we een taxi zoeken,' zei Nadir. Abdel gooide de peuk van zijn joint op straat, drukte hem uit met de punt van zijn schoen en volgde Nadir en Zakaria het gedruis in.